JE NE VOULAIS PAS ÊTRE MOI

DU MÊME AUTEUR

Proust contre Cocteau, Grasset, 2013, prix du cercle proustien de Cabourg.

Brèves saisons au paradis, Grasset, 2012, Livre de poche, 2013.

Qu'as-tu fait de tes frères ?, Grasset, 2010, prix Jean-Jacques Rousseau, Livre de poche, 2012.

Babel 1990, *Rome, New York, Saint-Pétersbourg*, Gallimard, Folio/Senso, 2008.

Qui dit je en nous ?, Grasset, 2006, prix Femina de l'essai, Pluriel, 2008.

Cocteau, Gallimard, NRF biographies, 2003.

Le jeu des quatre coins, Grasset, 1998.

Le caméléon, Grasset, 1994, prix Femina du premier roman.

Chamfort, Robert Laffont, 1988, prix Fénéon, prix Léautaud, prix de l'essai de l'Académie française, Pluriel, 1990.

Les salons (en collaboration avec B. Minoret), Éditions JC Lattès, 1985.

Pour une bibliographie détaillée : www.claude-arnaud.fr

CLAUDE ARNAUD

JE NE VOULAIS PAS ÊTRE MOI

roman

BERNARD GRASSET
PARIS

Avec le soutien du

CNL
Centre national du livre

ISBN 978-2-246-85223-0

Les sources d'un écrivain ce sont ses hontes.

CIORAN

Pour Jérôme

1. *MEZZO VOCE*

Je le reconnais à son allure juvénile et à son pas conquérant, au sortir du métro Madeleine. Sa chevelure a les reflets auburn des marrons que les Sri-Lankais grillent sur les boulevards de la ville, il a pris la teinte calcaire de la Seine, à force de boire son eau. Les cent marches d'un escalier en vrille le mènent au petit nid mansardé qu'il occupe, sous les toits de la rue Boissy-d'Anglas. Sa taille s'est adaptée à la hauteur des appartements parisiens – 1m83 pour 2m60 – comme à l'étroitesse des portillons du métro. Il a tout juste quarante ans, la capitale est son pays.

Né au sein d'une famille nombreuse, il s'est « construit » dans les années 70, à rebours de tout bon sens souvent. Il a connu le matérialisme envahissant de la décennie suivante et la mondialisation heureuse des années 90, a vu les façons de penser changer du tout au tout. Rien ne l'étonne depuis, les idées et les mœurs relèvent à ses yeux de la météorologie.

La personnalité accommodante dont il a héritée en naissant ne le satisfaisait pas, enfant. Le troisième d'une série de quatre frères, il aurait préféré être l'un de ses deux aînés, sept et quatre ans de plus que lui. Il rêvait d'avoir leur taille, leur argent de poche et leurs permissions de sortie, de chausser leurs Carvil et de chevaucher leur Solex. Il aurait voulu être aussi savant que Pierre, l'aîné, et aussi ironique que Philippe, briller dans toutes les matières et s'entendre prédire un destin lumineux, comme eux! Leur intelligence lui conférait une compréhension apparente des choses qui outrepassait ses moyens, celle d'un garçon bien plus âgé. Unissant ses faibles forces aux leurs, celui que son père appelait Clodion-le-chevelu, le nom du premier souverain français, avait l'impression de régner : il était *trois*.

Le monde extérieur lui paraissait vide et fade, en comparaison. Ses maîtres d'école n'arrivaient jamais à être aussi intéressants que Pierre, qui veillait sur ses versions latines, ou éloquents que Philippe, qui agitait à merveille ses ficelles. Il ne s'attachait qu'aux professeurs dotés d'une forte personnalité, avec les autres il n'était qu'un cancre. Issu d'un clan corse riche en médecins et en fous par sa mère, ses vues sur l'existence étaient contrastées (son père est de ces provinces de l'Est, rigoureuses et froides, fécondes en ingénieurs, en militaires, en ouvriers, *brrr*...).

Il ne faisait *un* qu'en présence de ses aînés.

À vivre à leur diapason, il avait acquis une réelle aptitude à se glisser dans la peau d'autrui. Il ressentait *physiquement* la fébrilité du policier transférant un détenu, lorsqu'un embouteillage bloquait la porte de Saint-Cloud, et le fatalisme du cul-de-jatte qui tractait sa caisse à coups de fer en faisant jaillir des étincelles sur le boulevard Murat. Il débordait pour s'insinuer dans leur corps, coloniser leur conscience, vivre leur vie. Il en venait à croire pouvoir tout devenir, en éponge avide. *Tu as les yeux plus gros que le ventre*, s'inquiétait son père.

Il lui suffisait d'être privé de ses aînés, une semaine durant, pour perdre sa couronne. Le monde redevenait opaque, il ne se reconnaissait plus dans rien. Son être délaissé partait en lambeaux, le vertige tournait à la débâcle.

Il ramassait les miettes, quand ses frères rentraient. La magie opérait à nouveau.

Qu'il était volubile, alors !

Comme il était triste, le reste du temps…

De vraies montagnes russes, une succession d'orages et de ciels bleus, à vous donner le mal de mer.

Des années durant, il avait attendu le retour de ce climat électrique. Il lui fallait des échanges passionnés et des rires, des sentiments et du roman, tout lui semblait triste, sinon. Le maelström des années 70 lui avait fait croire que cette exaltation durerait toujours, on y vivait avec une ardeur difficile à concevoir. Le tourbillon dissipé, il s'était retrouvé désœuvré, sans emploi.

Il était tombé amoureux d'un critique de cinéma, mais aussi, de façon insensible, du compagnon de ce dernier, encore la règle de trois. Ils avaient vécu durant des années dans un appartement de la Rive gauche où le monde affluait, une vraie ruche. Le couple ne lui donnant pas cette impression de nombre qu'il recherchait évidemment, il avait tenté ensuite d'autres formules. On l'avait même vu faire une exception pour une actrice sans emploi, avant de revenir dans ses clous.

Cet homme a mon âge, mon trajet et mon tempérament. Ses attentes et ses failles ne lui sont pourtant pas exclusives, Simon, Agnès et Ali en abritent aussi. N'ayant rien oublié de ses mues, il sait le gouffre qui le sépare de l'enfant, de l'adolescent puis du jeune adulte qu'il a été, et ces lui-même ne sont pas aisément conciliables. La vie l'a si souvent modifié!

Il prétendait pourtant la changer, à l'origine.

2. *EDOARDO*

Des pays entiers s'ouvrent au commerce, en cet automne 1996. Le bloc soviétique n'est plus qu'un souvenir, partout les barrières douanières s'élèvent et les produits se répandent. Gagnés par l'euphorie ambiante, beaucoup veulent croire à l'amorce d'une paix perpétuelle et ne s'occupent plus que de leur prospérité personnelle. Le triomphe de l'individu assure celui de la marchandise.

Des bombes truffées de boulons ont bien fait huit morts à la station Saint-Michel du RER, quelques mois plus tôt ; sept moines français ont été décapités en Algérie et quatre voyageurs mourront à la station Port-Royal, cette année encore. Mais comment voir dans ces attentats sectaires une lame de fond ? Lorsque le jeune responsable des explosions de 1995 est abattu près de Lyon, c'est un gamin radicalisé en prison qu'on découvre, non une armée de l'ombre. Quand un lointain émir exige que le président de la République se convertisse à l'islam, le rire est général.

Ma vie personnelle va bien. Je gagne assez d'argent pour habiter Paris et n'obéis qu'aux horaires que je me fixe, avec plus de dureté que n'importe quel patron il est vrai. J'ai publié quatre volumes, c'est assez pour que je puisse me prétendre écrivain sans amuser. J'exerce le métier dont je ne rêvais pas même, adolescent, c'est déjà une réussite. J'ignore s'il me reste deux livres ou vingt à écrire, mais on ne s'inquiète pas trop pour moi.

Un jeune Bernois dort chez moi, quand il passe par Paris, le plus généreux et le plus délicat des garçons. Des cheveux blond-roux, des épaules sculptées par l'aviron, il se sent infiniment mieux dans le haras suisse qui l'emploie que dans les bars branchés du Marais : sensible, profond, bien fait, tout de chaleur et de générosité, Henri accompagne ma vie en pointillé.

Je suis plus qu'une référence pour lui, son unique pôle affectif, sa mère exceptée. Tout ce que je fais ou dis retient son attention, même quand rien de particulier ne le mérite. Il peut passer la soirée à m'observer, à travers la meurtrière de ses pupilles : je parais mener une vie hors du commun.

Une tache excessivement mobile, dans l'iris de son œil droit, donne une inquiétante imprévisibilité au regard d'Henri ; une mouche semble vrombir au cœur de ses pensées, comme s'il détenait un savoir supérieur, à l'égal des chats de l'ancienne Égypte. La partie la plus secrète de son être paraît vivre encore à l'époque qui précéda l'apparition du langage.

Je n'ai parfois aucune nouvelle de lui pendant des semaines. La crise finie, il revient vers moi, plus affectueux que jamais. Sa vie est faite de parenthèses, de trous, d'énigmes.

Son physique éclatant lui vaut d'assez nombreux « clients », mais la plupart s'enfuient en découvrant l'étendue de sa bizarrerie. Seuls des hommes mûrs trouvent à l'occasion l'envie de le protéger, dans une forme inassouvie de paternité, mais cette envie procède presque toujours du désir et y retourne immanquablement : je suis en quelque sorte le plus jeune d'entre eux.

Henri peut attendre des heures mon retour, lové sur le canapé du salon, il ne se lasse jamais. Les romans qu'il dévore – il a la manie de lire in extenso un auteur, le dernier s'appelle Patricia Highsmith – augmentent même son plaisir à me voir surgir à la nuit tombée. J'ai l'impression de mener une existence de lumière que ce cadet sans emploi suivrait depuis l'obscur sous-sol où le destin l'a relégué.

Par délicatesse, je préserve le brouillard dont il s'entoure. Il vit encore à 26 ans chez une mère qui part régulièrement faire des cures de sommeil dans les cliniques suisses, mais je me garde de trop l'interroger à ce sujet, de peur de me sentir responsable de toute sa vie. Je doute d'ailleurs de ses réponses, pour l'avoir vu contrefaire la signature de cette préparatrice en pharmacie au bas d'un chèque qu'il lui avait dérobé : les rêves qu'il fait, les yeux grands ouverts, ont *spontanément* tendance à se réaliser. *Tu vois, c'est ma voiture, ça,* m'avait-il confié en pointant un vieux coupé au sortir du Feeling, le bar où l'on s'était connus. Sa voix montrait une si faible volonté de rejoindre ledit coupé que je lui avais lancé, dans la rue de Rivoli : *Mais non, ce n'est pas ta voiture,* avec une désinvolture qui l'avait surpris, avant de le pousser à préciser : *Tu as raison, j'ai dû la laisser ailleurs.*

Un homme de 40 ans dispose d'un travail, d'un foyer, d'une assise. Il élève ses enfants, ou forme le garçon qui partage son existence. Mais quel projet élaborer avec celui qui vit dans la crainte des crises de panique qui le clouent au lit ?

Henri est fragile, la grande grève de l'hiver précédent me l'a montré. Il redoutait que cette paralysie provisoire des transports ne mène la France à la ruine – je n'y ai vu pour ma part qu'une réplique déprimée du printemps qui m'avait arraché à l'enfance, l'an 1968. Me croyant la solidité même, il voudrait se faire une place durable en moi, mais je préfère maintenir une marge de sécurité. Décidé à forcer ma porte, il a tout fait pour abolir les distances, jusqu'à adopter ma façon de penser.

Sa maladie nous avait rapprochés, les premiers temps. Ce que je n'avais pu faire pour sauver Pierre, mon aîné, des progrès irrésistibles de la schizophrénie et de sa manie de brûler le roman qu'il écrivait avant qu'il ne se jette dans le vide à 30 ans, ou plus encore pour mon oncle Pascal, victime de la même maladie, avant qu'on l'interne dans un asile d'Ajaccio, je voulais l'accomplir pour lui, afin qu'il échappe à ces hôpitaux où les familles épuisées abandonnent leurs fous. Mais en le découvrant plus apte à imiter ma façon d'être qu'à la mettre à son service, j'avais vu que vivre avec lui serait construire sur de la boue : capable de réécrire les textes que je lui soumettais, dans un style parfois meilleur, Henri s'était avéré n'en avoir aucun en propre, dès qu'il s'essayait à esquisser une nouvelle, ou même un récit.

J'avais eu le tort de le lui faire remarquer.

Je l'inquiète désormais plus que je ne le rassure, quand il vient passer le week-end dans ma garçonnière. Mon regard inquisiteur lui donne l'impression d'être aussi transparent que le verre ; une seule de mes remarques suffit à l'ébranler.

Je profite encore de la dépendance qui nous lie, mon plaisir en échange d'un peu de tendresse, mais je n'en abuse plus, l'ayant entendu évoquer au téléphone ces nuits où il sent son *corps en beurre pressé par un couteau brûlant*. Il ne cesse pourtant de me solliciter, comme tuteur ou comme mère de rechange, et ses exigences contradictoires m'éprouvent. Je rêve d'une source radieuse de vie et je retrouve un miroir fêlé renvoyant mes rayons. Si au moins il avait bénéficié du mouvement d'émancipation qui me jeta, à 16 ans, dans l'intimité d'adultes experts en combinaisons amoureuses ! Son éducation me paraît presque insignifiante, en comparaison. Il se juge insincère, quand il jouit, je le sens étranger à ses sensations.

J'ai vécu en communauté, à trois puis en couple, je me retrouve célibataire désormais, c'est trop peu pour moi.

Conscient que le destin ne nous accorde qu'un nombre limité d'aventures, je crains parfois d'avoir épuisé mon quota. Je reprends confiance en voyant les rues s'emplir de silhouettes que mon désir me fait croire accessibles. Il n'existerait entre deux êtres, si éloignés soient-ils, jamais plus de cinq intermédiaires susceptibles de les présenter : j'imagine que marche au même instant que moi, entre la Madeleine et l'Opéra, l'inconnu susceptible d'éclairer ma vie. Vivre m'ennuie sinon…

Je dîne ce soir-là chez un couple d'amis – un professeur de droit et un danseur ayant survécu à la peste qui décima la ville durant les années 90. Des cheveux drus et noirs, des yeux verts chargés d'iode, Edoardo mange comme quatre.

Il parle bien, vite, presque sans accent. Chaque mets fait surgir sur ses lèvres le sourire divin de l'existence comblée.

Je l'imagine issu de ces familles du nord de l'Italie pour qui la frontière linguistique n'a jamais trop existé. Mais il a grandi bien plus modestement dans un immeuble à loyer modéré d'Arese, une banlieue industrielle de Milan, au sein d'un ménage de Calabrais travaillant à la Fiat qui tint à lui donner le prénom du fils de leur patron, afin qu'il ne se sente l'inférieur de personne.

Une telle confiance en l'avenir m'inspire de la gratitude pour des parents l'ayant si bien armé pour la vie. Mon enthousiasme intrigue Edoardo, les Français sont moins lyriques d'ordinaire. J'ai beau rire des arguments alambiqués du jury qui lui décerna, au vu de ses premières installations vidéo, la bourse qui l'aida à s'installer à Paris, il ne s'en formalise pas, la tendance des Parisiens à ne faire crédit a priori à personne lui plaît. « Chez nous on répond oui à toutes les demandes, mais on ne fait rien ensuite, c'est l'inverse ici », lâche-t-il.

Voyant qu'il aime les formules assassines, je lui apprends qu'un politicien du siècle passé avait murmuré, à la mort d'un président foudroyé alors que sa maîtresse lui faisait une gâterie dans les salons de l'Élysée : *En entrant dans le néant, il a dû se sentir chez lui*. Il rit – un pur-sang lâché dans un hippodrome parisien.

Je suis publié, c'est encore un bon point, même si ce n'est pas chez les éditeurs qui en imposent le plus à Edoardo, lequel associe le roman aux faiblesses d'une mère qui se réfugiait au moindre conflit dans les volumes de la collection Harmony, la filiale italienne d'Harlequin. J'ai aussi l'avantage de relever d'une génération qui eut des maîtres prestigieux et jouit donc de l'auréole de ces temps mythifiés où l'on pouvait recueillir les confidences des penseurs en vue, de Michel Foucault à Félix Guattari, avant

21

de dormir sous leur toit parfois. Je véhicule à mon insu les valeurs d'alors, même si je ne les partage plus. Il se plaît à travers elles, c'est grâce à elles que je lui plais aussi...

Combien y a-t-il de gens *vraiment* vivants sur terre? Qui peuvent reprendre un air à la volée, en chantant juste, et attraper une pomme à l'étalage en arrachant un sourire au commerçant, comme je le verrai faire le surlendemain sur le marché de la Madeleine? Qui savent transformer ce qu'ils mangent en saillies, brûler ce qu'ils absorbent en joie, sans laisser la moindre graisse? Edoardo profite de tout et c'est bien le don qui me manque, je ne serais pas écrivain, sinon. Il a hérité du corps et de la nature les mieux aptes à le faire jouir de la vie, et j'éprouve pour cette conjonction une admiration sans borne. L'existence doit être belle, vue de ses fenêtres, me dis-je en découvrant son atelier de la Cité de l'Industrie, à Belleville.

Je le regarde me parler de son travail, mais l'évocation de ses installations m'intéresse moins que l'ourlet de sa bouche. Je n'ai même pas le temps de m'avouer que ses vidéos me laissent froid – trop théoriques pour moi –, qu'il pose ses lèvres sur les miennes. La note d'éther de son parfum achève de me troubler; j'entre dans cette délicieuse zone d'ombre où l'on perd le contrôle de soi.

Son désir est franc et direct, à l'inverse de celui d'Henri, et il doit être satisfait sur-le-champ. J'en deviens presque maladroit, je n'ai plus l'habitude d'être pris d'assaut, je suis presque toujours l'aîné. En me réveillant dans son atelier, après une semaine d'intimité, j'ai l'impression de vivre un épisode légèrement irréel, comme le cinéma en offre parfois. Jamais les choses ne sont allées si vite dans ma vie, jamais rencontre n'a été si ardente.

Invité pour un verre par deux de mes proches, Edoardo les aborde avec autant de chaleur que s'il les avait connus, dans une vie antérieure. Qu'importe qu'ils aient neuf et treize ans de plus que lui, aient réalisé des films et remporté des prix, rien ne l'intimide, pas même la présence d'un cinéaste germanophone à ses côtés. Il comprend à peu près l'allemand sans l'avoir étudié, pour avoir visionné pendant toute une saison les vidéos de Joseph Beuys.

Est-il un génie ou un imposteur ? semblent se demander nos hôtes en découvrant son manque radical de timidité. Je pense à ces rencontres que les années 70 suscitaient, en dépit des barrières de classe ou de langue, à ces fils de personne que l'époque lançait par milliers à l'aventure.

Au don des langues, Edoardo ajoute une mémoire remarquable des noms et des visages, une étonnante capacité à s'adapter aux circonstances, selon ses envies ou ses intérêts. La fermeté de ses vues, la rigueur de ses arguments, me persuade qu'il avait conscience d'exister avant même l'apparition des autres dans sa vie.

Il est entièrement défini, et cette précision de chaque instant m'électrise : impossible de lui faire approuver ce qu'il ne pense pas, inutile de chercher à l'ébranler. Le regard des femmes aimées brille d'un éclat irrésistible qui fait parfois soupçonner la crédulité ; le sien a le pouvoir magnétique de ceux qui s'aiment pour d'excellentes raisons.

Son puissant principe vital aimante ce qu'il reste d'épars en moi. Je fais enfin bloc, quand je me heurte à ses vues, elles renvoient mieux qu'un mur mes balles.

Nous entrons en phase d'attraction chaude, passons des heures à parler. Désir, affinité de peaux et d'idées, la vie prend un tour exaltant. Nos ellipses s'harmonisent sous le simple effet de l'attraction.

L'accueil que mon frère Philippe lui réserve, quand je les présente, le plaisir qu'ils prennent à sonder leur goût commun pour les idées, les étincelles que leurs esprits engendrent en se frottant m'éclairent sur mes ressorts : Edoardo est aussi boulimique que l'était cet aîné, aux temps heureux de notre enfance, personne ne pouvait non plus résister à ses désirs. Habitué à voir dans chacun de nous un comédien sans le savoir, cherchant à coller aux rôles que la vie lui fait jouer, j'ai appris à distinguer les auteurs de leur texte des interprètes qui glanent leurs idées au hasard : Edoardo est du groupe des élus.

Il n'est pas dans ma vie depuis deux mois que je le convie au déjeuner dominical que notre père donne dans l'immeuble où nous avons grandi, à Boulogne-Billancourt. Partageant un même secret,

Philippe et moi jouons à *jusqu'où aller trop loin* sous les yeux d'un homme auquel aucun de ses quatre fils n'a jamais donné ni bru ni enfant. Notre père est le premier à sourire de l'audace de ce jeune Italien, en le voyant s'emparer de son bloc pour écrire deux lettres simultanément, avec chacune de ses mains – il est presque ambidextre –, la première disant à Philippe ce que je ne saurai que trop tard, la seconde s'adressant à moi pour rire affectueusement de ma façon « littéraire » de parler.

En le voyant vanter le calvados hors d'âge de notre père, j'ai envie d'aller chercher entre ses lèvres les causes de son enthousiasme. Je l'attire dans la cuisine, ferme la porte pour l'embrasser, cherche de la main son ventre, il est brûlant.

Il dénoue délicatement mes bras, en entendant mon père approcher, tout mon corps tremble.

Le regard défait d'Henri n'arrive pas même à me refroidir, le week-end suivant. Mes sentiments ont pris une telle ampleur que le besoin de les partager est devenu irrésistible, Edoardo occupe mes pensées, galvanise mes journées.

J'entre en communion avec le flot qui s'écoule, en longeant la Seine. Le vent porte une odeur de miel douceâtre que j'associe au tilleul, puis à une forme élémentaire de fécondité. Je deviens ce fleuve qui file vers la mer en emportant les branches du saule qui garde le pont Royal.

J'esquisse une lettre, de retour dans la rue Boissy-d'Anglas, la mets au propre, la relis encore puis me ravise : j'ai peur de corrompre mes sentiments en les mettant au jour, crains d'évoquer la collection Harmony. J'éprouve un réel soulagement, en voyant mon brouillon partir pour la poubelle, roulé en boule : Edoardo n'aime que la perfection là aussi.

Je le retrouve le soir même dans une buvette des Tuileries. Alors que le sable des jardins chasse en volant les derniers visiteurs, il me questionne sur le parcours de Philippe, ses idées aussi. Je le sens intrigué par cet aîné, impressionné par sa lucidité, son ironie, son tempérament – vols, rixes, mon frère manqua tomber dans la délinquance, adolescent, avant que notre père, exaspéré par son insoumission permanente, ne le confine dans un pensionnat de banlieue. Le verrait-il comme l'original dont je serais la copie ? Philippe a toujours été plus radical dans ses choix, il y avait du Pasolini en lui.

Je n'ai dit qu'à quelques-uns les épreuves qu'entraîna la mort de notre mère, emportée à 50 ans par une leucémie, je n'aime pas être plaint. La dérive de Pierre, vagabondant sur les routes pour fuir un destin trop prévisible d'ingénieur, après avoir intégré une grande école, comme l'abandon de ses études de médecine par Philippe, parti faire un tour du monde sans fin, de la Libye au Cachemire, restent notre secret. J'ai tu ces ruptures qui allaient nourrir *Qu'as-tu fait de tes frères ?* et encore y laisserai-je de larges parts d'ombre pour éclairer le destin de Pierre. J'évite même d'évoquer mon engagement comme petite main au service de la Révolution, trop se

complaisent à ces souvenirs ; j'y avais pourtant per-
pétué, sous le nom d'Arnulf, cet organisme à trois
têtes de notre enfance, où chacun faisait ce dont
l'autre rêvait en secret, comme les trois Monsieur
Smith, locataires d'une même pension de famille,
échappent à la police en signant à tour de rôle leurs
crimes dans *L'assassin habite au 21*, un de nos livres
fétiches.

Le tour déroutant qu'avait pris *le grand voyage* de
Pierre, quand il ne sortait plus dans les rues qu'en
aveugle, canne télescopique à l'appui, intrigue
Edoardo : alors qu'il vivait en volant les petites
vieilles qui l'aidaient à traverser dans les clous et en
dormant parmi des clochards récupérant des cartons,
dans un bouge de la rue Quincampoix, mon aîné
n'avait jamais cessé de réécrire le roman qu'il s'interdisait néanmoins de présenter aux éditeurs – c'était
Joyce ou rien.

Mais plus encore que la folie de Pierre, c'est l'in-
transigeance de Philippe qui touche Edoardo. J'en
suis plus qu'heureux, un peu jaloux même, surpris
à la fois, Edoardo témoignant d'une réelle souplesse
au quotidien, en pur produit des années 80 : je l'ai
même vu trouver mille vertus à une galeriste assez
insignifiante de la rue Debelleyme, à la seule découverte de ses liens avec la documenta de Cassel. En
quête de cautions « radicales », il se sentirait sans
doute plus valorisé par le texte que Philippe pourrait
écrire sur son travail que par le mien ; je suis probablement trop inséré dans le monde littéraire pour

flatter son snobisme, avide de théorie. Je n'appartiens pas au rang des élus dans ce domaine.

Moi qui étais prêt à me déclarer…

Mes confidences ne surprennent qu'à moitié Michel et Rudy, le couple d'amis qui me l'a fait connaître, dans leur duplex de la rue Greneta. Leur gêne me laisse même entendre que je suis loin d'être la première « victime » du charme d'Edoardo, un être prompt à se prêter, selon eux, bien moins à se donner, n'y pensant à vrai dire même pas. J'avais bien vu qu'il n'avait rien contre les rencontres d'un soir, c'est aussi cette aisance qui m'avait plu ; je lui découvre une vie sentimentale incompréhensible. Il aurait même « vécu » un an avec la galeriste turinoise qui l'avait d'abord engagé comme coursier.

Un tempérament, sûrement pas un pilier.

Oublie, me suggère leur mine accablée.

Blessé de me voir offrir si peu de chance, je les soupçonne à mon tour de ne pas vouloir que quelque chose se passe entre lui et moi, et les quitte convaincu que la chose va *précisément* se passer. Personne ne me semble plus de taille à résister à mon élan, Edoardo le premier.

Tout jaillit dans le plus grand désordre, lorsque je le rejoins à la terrasse du Père Tranquille, un café des Halles. Je parle si vite qu'il peine à me suivre et me fait répéter. Je m'enflamme en l'entendant dire qu'il aimerait faire *mille choses avec moi* : sa voix tremble imperceptiblement, comme si elle était enfin affectée par ce sentiment qu'il prétend par ailleurs ne pas partager. Mesurerait-il ce qu'il perdrait, à me voir aimer ailleurs ? Regretterait-il de ne pas pouvoir ressentir aussi fortement...

Je profite de mon avantage pour donner à ces *mille choses* un tour plus concret, nous n'avons plus 18 ans. Il me répond qu'il ne trouverait pas *naturel* de n'avoir qu'un *mec* dans sa vie.

Je n'aime pas la sécheresse que ce mot trahit. Comme s'il avait besoin là encore de s'affirmer en militant, quand je lui demande juste d'être lui-même...

– C'est comme cela que ça se passe, dans ma génération ! finit-il par lâcher, en nouant son écharpe en plissé.

Je me cabre. Comme s'il était voué à avoir éternellement 30 ans, par une sorte de grâce d'état, et que je relevais d'une branche d'hominidés éteints au pliocène, pour en avoir douze de plus. Je me vois renvoyé aux temps lointains où l'on exprimait ses *sentiments* en vivant, écrivant et peignant – le comble du suranné. Je tombe de mon piédestal pour rejoindre la collection Harlequin et quitte le café sonné.

J'arpente les Halles en me demandant comment on peut vivre avec si peu d'ambition et autant d'arrogance. Les mots, qui avaient tant contribué à nous rapprocher, ne semblent plus avoir le même sens dans nos bouches. J'avais l'impression d'être un mutant ignorant tout des codes de la « tribu », en me déclarant.

Je remonte la rue Saint-Honoré dans un état second.

Est-ce la fatigue ou la souffrance ? Plus je marche, plus faiblit ma résistance à Edoardo. Approchant de ma tanière, la nuit tombée, j'envisage même de l'appeler pour lui offrir de reprendre notre relation comme avant, ainsi qu'il l'avait d'abord suggéré : son rejet m'est insupportable.

Le salon est éclairé.

Lové dans le canapé, Henri me fixe. Ma mine défaite vaut tous les aveux, son soulagement achève de m'accabler. J'aime et je suis aimé, mais il ne s'agit pas de la même personne.

Je pâlis le lendemain en entendant Edoardo me proposer de partager un appartement avec lui, comme s'il venait de trouver *la* solution à mes problèmes. Devinant qu'il m'offre de succéder à la galeriste qui l'avait hébergé à Turin, en échange de quelques instants d'intimité, je refuse sans hésiter : je veux une relation, pas une colocation.

Je tente de reprendre l'initiative en le retrouvant dans son atelier, mais son corps lui-même se rétracte, quand je cherche à l'embrasser. J'ai la force d'ironiser sur cette pruderie tardive, mais c'est avec un sérieux sacerdotal qu'il me demande de respecter un cercle autour de sa personne.

Tranchante comme un sabre, l'injonction me révèle l'incompatibilité des êtres trop définis. Le voisinage de nos sensibilités contribue lui-même à nous repousser : après m'avoir puissamment attiré, la joie d'Edoardo ne me paraît plus que l'expression de l'amour exclusif qu'il se voue.

Sans doute devrais-je m'estimer déjà heureux d'avoir pu jouir de lui, durant toutes ces semaines, mais je ne peux me résoudre à une telle comptabilité, elle me met le cœur au bord des lèvres.

Mon édifice se fissure, sous le choc.

Son fantôme en profite pour s'engouffrer dans la faille et coloniser mes pensées. J'ai ses cheveux noirs de jais dans les yeux, son rire dans les tympans, son épiderme sur ma peau. Sa voix instille en moi des pensées hostiles et ces *larves d'oreille* me poursuivent jusqu'au cœur de la nuit. Trop intéressé pour se donner, trop bardé d'assurance pour aimer, Edoardo se décompose insensiblement dans une odeur écœurante d'éther. Je n'ai plus affaire qu'à un être irréel, simple projection de mes désirs contrariés, à la peau brûlante et au cœur glacé.

En l'entendant me dire au téléphone *Désolé si j'ai été brutal*, je réalise que je reste amoureux de lui, sans plus l'aimer *personnellement*, il ignore le lait de la tendresse humaine. J'en viens presque à *haimer* ce reflet d'une jeunesse qui m'exclut, après s'être trop vite offerte, en faisant de moi le fruit d'une époque révolue. Je pense à l'attraction que le Christ suscitait pour mieux la repousser : « *Noli me tangere* », « Ne me touche pas », je ne vouerai pas ma vie au Christ.

J'ai encore la force de rompre avec Henri, le mois suivant. Mais j'ai trop besoin d'une présence pour ne pas souffrir aussi de son départ.

L'existence me donnait un effet d'avalanche, depuis le printemps qui m'avait vu quitter le nid familial pour rallier l'Odéon occupé, à tout juste 13 ans. Je découvrais Paris alors que le pays entrait en révolution. Un horizon illimité s'ouvrait, un besoin d'exister par excès aussi, de mener plusieurs vies à la fois. Mon sablier s'est inversé, au passage de la quarantaine. J'aurais moins d'années à vivre que je n'en ai vécu.

J'étais fait pour être jeune, pourtant.

3. LA DÉROUTE

Ma tristesse persistante n'échappe pas à mon aîné. Philippe me connaît comme s'il m'avait fait, ce n'est pas une image, je lui dois beaucoup. Personne n'aura si bien usé de son influence pour m'encourager à m'affirmer, tout en riant de mes certitudes affichées.

D'emblée cristallisée, sa personnalité avait presque dissuadé la mienne de prendre, par contraste. Je savais si bien comment entrer dans ses pensées qu'elles encourageaient jusqu'à mon aptitude à m'envisager « objectivement ». Des année après la déformation de notre fratrie, il reste l'une des ressources de ma nature changeante. Je l'ai tant admiré, j'incarnais si bien tout ce qui pouvait le troubler…

Philippe est convaincu que je saurai tourner la page, il connaît ma souplesse. Généreux, malgré le drame intérieur qui le ronge, il mise sur ma réelle aptitude à rebondir, précisément parce qu'elle lui manque. Cette assurance me protège encore, pour combien de temps ?

Il aime les garçons jeunes, très jeunes même. Il leur parle d'abondance, quand il trouve la force de les aborder, les charme souvent, parfois même les intimide, mais il a besoin de leur consentement pour les toucher. Il leur voue une telle admiration qu'il étouffe sous l'excès de sa convoitise, leur corps en devient presque tabou.

Longtemps, ses idéaux surpuissants l'ont empêché de publier ses écrits sous son nom ; il préférait souffler le meilleur de ses idées à ses proches, passer la nuit à corriger leurs manuscrits. Quand nombre de talents mineurs trouvent d'emblée une reconnaissance, leur désaccord avec le monde n'étant que façade, il s'interdisait de vouloir exister socialement. Ayant très tôt montré sa singularité, il refusait indirectement de « s'abaisser » à en fournir les preuves publiques ; ennemi de tout vedettariat, il se flattait même de n'avoir rien à vendre. Au moins n'allait-il pas jusqu'à brûler ses manuscrits, comme notre aîné.

J'avais largement profité de lui, là encore, son goût marqué pour la clandestinité m'avait poussé à vivre ouvertement. Après m'être fait imprimeur pour vaincre son respect paralysant pour l'écrit, qui valait celui de Pierre, je m'étais mis à composer les livres qu'il s'empêchait de publier, moi qui n'avais jamais brillé dans mes études. La vraie vie n'était pas ailleurs mais ici, et maintenant.

Philippe s'est pourtant décidé à écrire *sur* le cinéma, puis *pour* le cinéma, entre-temps. Réputé pour l'élégance de sa prose et l'étendue de son savoir, il est devenu l'homme de l'ombre de la Cinémathèque et s'y épanouit. C'est lui qu'on vient solliciter, quand on se trouve en panne de formules ou d'idées, jusqu'au cœur de la nuit. Il est l'âme de cette institution vouée à la résurrection des films morts, le gardien de ces images mythiques qui l'aident à vivre, par procuration, l'homme qui ramène au jour les œuvres enfouies sous la poussière.

Comment peut-il donner tout son temps au travail et son énergie à ses amis ? Je dois être l'un des rares à pouvoir tenter une réponse, même si je ne fais que deviner l'ampleur de cette paralysie érotique qui le plonge dans des abîmes de mélancolie : Philippe m'apparaît comme l'un des derniers êtres chargés de mystère, dans une époque qui a fait de la transparence sa règle – une énigme et une anachronie, à 45 ans passés.

Je reçois un appel de l'épouse d'un cousin de ma mère, un soir d'octobre 1996. Je m'étonne d'un coup de fil si tardif, venant de Bastia.

Philippe a disparu dans le golfe de Porto, l'entends-je dire.

L'annonce est si brusque qu'elle prend un tour irréel, comment imaginer qu'un bain de cinq minutes ait suffi à mettre en péril mon frère ? Le brouillard s'épaissit à l'évocation des recherches en cours, le jeune homme l'accompagnant ayant donné aussitôt l'alerte – il s'appelle aussi Pierre, étrangement.

Philipe étant un bon nageur, je veux croire que des pêcheurs sauront encore le ramener à terre ou les hélicoptères de la Sécurité civile l'hélitreuiller. Mais la gendarmerie doute déjà de ses chances de survie, après douze heures dans une eau froide et agitée : tous les courants poussent vers le large.

Je préviens sur-le-champ Jérôme, notre dernier frère.

La série noire reprend, l'entends-je penser.

Notre grand-père s'interroge. Philippe était venu lui rendre visite cinq jours plus tôt à Bastia, avec ce même garçon inconnu de moi, et il ne peut croire à une mort si brutale. Intrigué par ce bain tardif et solitaire dans une mer mauvaise, il s'étonne que le jeune Pierre ait dit aux gendarmes avoir vu Philippe agiter les bras dans l'eau alors qu'il retournait chercher une serviette dans leur voiture. Ces gestes étaient-ils une invitation à venir le rejoindre, ou d'authentiques signaux de détresse devant une mer charriant des galets gros comme des poings ?

Je me décide à appeler le jeune homme en Corse.

Un long silence accueille mes premiers mots, les plongeurs fouillant le golfe viennent d'abandonner leurs recherches…

Je perds pied, cette fois.

Cette disparition attise les imaginations, en Corse. Certains parlent d'un crime de rôdeur, avant d'apprendre que le portefeuille de mon frère a été retrouvé, d'autres s'interrogent sur le rôle que ce Pierre aurait pu jouer, beaucoup l'ont trouvé bien froid pour son âge. J'en viens à interroger le directeur de la Cinémathèque qui l'emploie également. Un gouffre s'ouvre en moi quand je comprends que Philippe était amoureux de Pierre, un sentiment non partagé.

De neuf ans mon cadet, notre frère Jérôme en vient à se demander si Pierre n'aurait pas pu aider Philippe à *partir*. Je proteste pour la forme, mais je n'ai pas tant d'arguments à lui opposer, sachant combien les suicides par procuration intriguaient notre aîné. Dès l'entame d'un livre qu'il avait consacré aux films de Robert Bresson, il rappelait que le héros du *Diable probablement*, confessant à son psy son impatience d'en finir avec la vie, s'entend donner en exemple les Romains, lesquels demandaient à l'un des leurs d'accomplir ce geste pour eux.

La presse insulaire a beau évoquer une mort *volontaire*, je ne peux croire que Philippe ait eu la cruauté de se tuer *devant* le garçon qu'il aimait. Le jeune Pierre aurait-il voulu profiter d'une clause d'assurance que Philippe aurait signée en sa faveur, ou secrètement convoité sa place à la Cinémathèque ? Je me refuse à étudier même ces soupçons, ils n'auraient pas vu le jour si Philippe avait laissé une jeune fille en larmes sur la plage, j'en suis convaincu.

Les rumeurs l'imaginant organiser sa disparition me troublent déjà plus : avec son goût exacerbé du secret, mon frère en aurait été capable. Les transfuges partant refaire leur existence aux antipodes après avoir simulé leur mort excitaient sa curiosité, tel ce père de famille ayant rejoint sa secrétaire en Nouvelle-Calédonie après avoir coulé son bateau dans la Manche. Et il avait décrit avec précision la disparition énigmatique de l'héroïne de *L'Avventura* d'Antonioni au milieu des îles Éoliennes, dans une publication de la Cinémathèque.

Comment vérifier une absence? demandait-il dans ce texte évoquant encore *l'étrange linceul aquatique* où disparaît la Mouchette de Bresson. Pour n'avoir laissé ni corps ni testament, Philippe meurt et ressuscite à chaque hypothèse.

Les témoignages que je recueille me laissent deviner un paysage affectif dévasté. Aucun ancien amant ne se manifeste, pas même le jeune Tunisien qu'il allait régulièrement voir dans son pays; quoique entouré, Philippe était seul et je me reproche, en repensant à la dépression contre laquelle je l'avais vu lutter en vain, deux ans plus tôt, ne pas avoir osé le conseiller – j'avais connu le même dilemme lors de la descente aux enfers de Pierre notre aîné.

J'aurais dû lui proposer mon aide, en le voyant aller de médecin en thérapeute, sans aucun résultat, lui qui détestait consulter. Miné par les migraines chroniques qui le harcelaient depuis l'adolescence, Philippe m'avait paru à bout de forces, plus que résigné à sa mauvaise vie. Mais comment aborder un être aussi secret?

Certains, dans son entourage, le décrivent heureux d'avoir rencontré en Pierre, à défaut d'un amant, un complice avec qui arpenter l'île où nous passions toutes nos vacances, enfants; il semblait même espérer que ce séjour en Corse précipite une relation plus intime. Ayant trouvé son bureau en ordre, pour la première fois depuis des lustres, ses collègues sont aussi nombreux à ne pas croire à un suicide. Philippe ayant repris le chemin des piscines, ils l'imaginent présumant de ses forces en se jetant dans une mer agitée.

D'autres évoquent sa profonde mélancolie qui leur faisait parfois se demander, en le quittant vers deux heures du matin, s'ils le retrouveraient vivant le lendemain : Philippe pouvait fondre en larmes au milieu de la nuit après avoir ri toute la soirée. Un accordéon fantôme jouait en lui une partition lugubre, dès qu'il ne trouvait plus motif à rire.

Aucune hypothèse ne me semblant à écarter, je décide de rencontrer le jeune Pierre à son retour à Paris, afin de l'entendre décrire encore les derniers instants de mon frère. Je le trouve réticent et tendu, sans doute a-t-il eu vent des soupçons qui pèsent sur lui, il ne se sent même pas de force à reprendre son travail.

Aurait-il perçu une ombre dans le regard de Philippe ou dans l'atmosphère de cette ultime journée, la première ensoleillée depuis leur arrivée dans l'île ? Il semblerait que oui. Avait-il envisagé autre chose qu'une simple noyade ? La réponse est là encore positive : en recevant un coup de fil à leur hôtel, juste après le drame, il avait cru que c'était Phillipe qui appelait pour lui confier avoir *organisé* sa disparition. Il lui avait fallu du temps avant de comprendre que c'était moi, à l'autre bout du fil ; nous avons presque la même voix.

J'ai toutefois l'impression que Pierre en sait plus qu'il n'en dit, qu'il ne se reproche pas seulement d'avoir laissé mon frère se baigner seul dans une mer agitée, sur une plage déserte. Il a vomi en ne le retrouvant pas sur la plage, puis durant l'interrogatoire serré des gendarmes, ce ne peut être un hasard. Pourquoi se sentirait-il incapable de reprendre son poste à la Cinémathèque, sinon par culpabilité ?

Je finis par apprendre qu'il venait de signer un contrat avec une maison de production américaine, avant son départ pour la Corse. J'en déduis que Philippe savait qu'il allait quitter la Cinémathèque : ce tour de l'île était à la fois l'apogée et le crépuscule de leur relation. Pierre en était si intimement convaincu qu'il avait d'emblée cherché une lettre de Philippe expliquant son geste, en trouvant ses affaires sur la plage, juste après sa disparition.

Impossible désormais d'écarter la possibilité d'un suicide, ne serait-ce que passif. Voyant dans le refus de son compagnon de le rejoindre dans l'eau, malgré ses gestes l'y invitant, le symbole de leur non-relation, Philippe n'aurait pas trouvé la force de résister aux assauts furieux de la marée.

Inquiet de voir Pierre porter le poids de sa faute *ad aeternam*, je lui pose de nouvelles questions. Il m'apprend que ce n'est pas lui qui a pris l'initiative de descendre sur la plage, que c'est encore mon frère qui lui a demandé d'aller prendre une serviette. Philippe aurait pu délibérément chercher à l'écarter, au moment décisif.

Je perds tout soupçon à l'égard de Pierre : on ne peut être plus mûr à 25 ans, l'épreuve l'accable tout comme moi. J'imagine mon frère épuisé de l'aimer sans espoir comme je le suis d'aimer en vain Edoardo ; je verrais presque dans cette impuissance commune le produit de notre indépassable lien originel.

Ses dernières chances d'être aimé s'éloignant, Philippe aurait choisi de disparaître devant celui qui aurait pu lui redonner le goût de vivre, comme ces pilotes qui précipitent leur avion dans le néant après des années passées à mener leurs passagers en vacances. Une façon d'agir, non plus de subir, comme notre aîné l'avait déjà éprouvé en se jetant dans le vide.

La mer ne le jugerait pas, au moins. Elle le bercerait sans réserve, indéfiniment.

Les signes de préméditation s'accumulent, à mesure que j'inspecte ses effets. Son portefeuille recèle une carte représentant une femme endeuillée marchant le long du golfe de Porto, postée quatre mois plus tôt par une amie corse ; le répondeur de son téléphone me fait entendre l'ultime message d'un de ses étudiants en cinéma l'informant *qu'il n'y a ni bahine ni raz de marée à cet endroit.* Comme s'il était en quête de lieux où *il semblerait logique* qu'il se soit noyé.

Je me revois lui parler de la fin d'Harold Holt. Après s'être mis à l'eau, au terme d'une party donnée dans sa propriété de Cheviot Beach, à la fin des années 60, ce chef de gouvernement australien avait disparu à l'horizon. Le pays avait cru à une noyade, mais deux de ses compatriotes l'avaient reconnu un an plus tard dans les rues de Pékin. Holt aurait été en fait récupéré par un sous-marin des services secrets chinois, lesquels l'auraient recruté dès les années 30, aux dires d'un ancien espion. Habitué à fournir ses amis cinéastes en intrigues retorses, Philippe se serait fait l'auteur-interprète d'un scénario voisin.

Une partie de notre famille l'imagine déjà à Pékin, pour l'avoir vu apprendre le chinois dans les manuels de la République populaire, d'autres le « voient » chez son compagnon tunisien, pour l'avoir surpris à étudier l'arabe en écoutant Radio Le Caire. Philippe admirant ces héros qui retournent à l'anonymat, une fois leur but atteint, tels Zapata, Garibaldi ou le Che, aucune hypothèse ne paraît improbable…

Edoardo m'appelle, en découvrant les articles consacrés à la disparition de mon aîné. Le seul son de sa voix réveille le souvenir du cataclysme qu'il avait déclenché en moi. En l'entendant se remémorer les moments qu'on avait passés avec Philippe, les larmes me viennent. Il me propose de venir partager ma soirée, j'accepte en découvrant qu'il redoute de me laisser seul, je sais qu'il ne me touchera pas. Je souris en le voyant imaginer Philippe s'amusant de nos interrogations, dans l'île mystérieuse où il a peut-être reprit vie.

Les témoignages poignants que je reçois me font entrevoir une existence amicale bien plus riche que je ne le croyais. Garderais-je des doutes sur la capacité de mon frère à mener des vies parallèles et à ne se satisfaire d'aucune, je les perds en recevant l'appel d'une jeune inconnue m'annonçant fièrement que Philippe et elle s'aimaient depuis seize ans et avaient des projets de vie commune. Une brève enquête me confirme qu'il fréquentait cette étudiante à la silhouette androgyne qu'il avait en vain désirée, à l'adolescence, avant qu'elle ne fasse de lui son Pygmalion. Je ne suis pas certain qu'ils aient réellement envisagé d'avoir un enfant, comme elle le soutient avec véhémence. Consciente d'être sortie de son champ d'attraction en devenant une femme à part entière, elle-même paraît en douter. À sa demande répétée, je lui remets les affaires que Philippe portait avant de se jeter à l'eau, sa chemise exceptée.

Je réponds à toutes les lettres qu'on m'adresse, rencontre à l'occasion leur auteur, tous ces témoignages m'aident à tenir. J'ai tant puisé dans l'intelligence en excès de mon frère que certains retrouvent un peu de sa façon de penser en moi. L'un s'attache à ce fantôme avec tant d'élan qu'il me semble usurper l'existence de Philippe. Ayant puisé dans le fonds commun à notre fratrie la substance de mes livres, l'asséchant d'autant, je m'accuse d'avoir contribué à sa disparition…

Son esprit s'empare de moi, à quelques semaines de sa disparition. Il me reproche de le laisser se décomposer dans l'eau, moi qui aime tant nager, m'invite à le rejoindre pour lui tenir compagnie, il fait si froid là où il est.

Je croyais naïvement que les forces négatives à l'œuvre dans le monde avaient d'emblée perçu leur dû. Ayant survécu à la mort précoce de ma mère et à la schizophrénie qui dévasta mon aîné, je pensais pouvoir me remettre de tout. Je perds pied en comprenant que plus rien ne me protège.

Le retour d'Henri achève de m'accabler. La seule vue de son regard compatissant suffit à m'inspirer une crainte phobique ; je flotte loin du monde, sous le feu continu de ses questions.

Une part de moi sombre aussi en Méditerranée.

4. DANS LES LIMBES

Nous entrons dans un rez-de-chaussée donnant sur les voies ferrées de la gare de Lyon, mon frère Jérôme et moi.

Pas d'air, guère de lumière, des livres sur la quasi-totalité des murs. Les volets sont clos et couverts de toiles d'araignée, nombre d'ampoules sont cassées. Des centimètres de poussière calfeutrent les tables, les fauteuils, les tapis, eux-mêmes couverts d'habits sales, de souliers usagés, de cendriers débordant de mégots, d'outils n'ayant jamais servi, de factures en souffrance, de relevés bancaires pris dans leur enveloppe, de piles de journaux ficelés. L'état des trois pièces qu'occupait Philippe est indescriptible.

La torche que je trouve dans l'entrée nous révèle des sentiers rejoignant les points d'eau, les armoires, le lit. Après avoir subi cinq ans plus tôt un cambriolage, Philippe avait condamné ses fenêtres et cessé de faire le ménage. Il ne rentrait plus chez lui que pour lire, téléphoner et dormir, comme s'il repoussait la vraie vie à l'avènement d'un monde bien mieux adapté à ses désirs. Les détritus s'étaient si bien amoncelés qu'il avait fini par y creuser ces rigoles menant aux lieux indispensables à la survie.

Longtemps j'ai repoussé ce moment, de crainte de violer une intimité que mon aîné n'entrouvrait plus à personne et que son entourage avait fini par juger taboue. Il faut pourtant agir vite, des documents décisifs pour la succession nous attendent, Jérôme a su m'en convaincre. Il a le sens du réel, lui.

La cuisine est hors d'usage. Une couche de pâtes cuites et de fromage en décomposition recouvre la gazinière et l'évier croule sous une vaisselle attendant depuis des lustres d'être lavée – piles d'assiettes brunâtres, verres où surnagent des morceaux d'aliments, casseroles entartrées. Le carrelage est jonché de portions de roquefort agglomérées par la chaleur, de tranches de pain de mie moisies, de plaques de beurre fondu, de mégots fichés dans des carrés gluants de chocolat. Des dizaines de bouteilles vides côtoient des tas de sacs plastique renfermant une infinité de petits sacs destinés à un hypothétique grand nettoyage.

L'ampoule que je visse au plafond de la salle de bains éclaire un lavabo couvert d'un compost de savons fondus, de cheveux collés et de pâtes dentifrice noircies par le temps. Trois sèche-cheveux voisinent avec une armée d'aérosols, de mousses à raser et de blocs de savon de Marseille. Des monceaux de slips bleus côtoient des jeans noirs de crasse et des chemises au col gras : Philippe jetait ses habits sales pour les remplacer par des neufs.

J'hésite à entrer dans la chambre, en voyant les draps crasseux qui couvrent le lit, sous un traversin jauni par la sueur. J'y accède en foulant des piles de revues, de réveils, de sacs, de films X, de guides Spartacus, de chaussettes dépareillées, de soucoupes remplies de cailloux souricides roses. C'est l'aveu d'une telle solitude, d'une inaptitude si manifeste à vivre, d'un abandon si complet que je manque vomir. La chambre où nous avions découvert vingt ans plus tôt Pierre, dans un immeuble squatté par des clochards, était en meilleur état, malgré les rangées de litrons qu'il avait fallu enjamber.

Ces montagnes d'immondices me font toucher à une forme d'impasse fraternelle, de misère masculine aussi. J'évite le regard de Jérôme, je le sens fragile sous la cuirasse : ce mausolée est la matérialisation de la maladie qui nous hante.

Ce petit frère faisait notre joie, adolescents. Ses joues de poisson-clown s'empourpraient sous l'effet de nos chatouilles, sa nature joviale était un motif constant d'émerveillement. Né dix-sept ans après Pierre, quatorze après Philippe, neuf après moi, Jérôme était l'enfant choyé d'une fratrie qui n'éprouva aucun besoin d'en avoir d'autres. La mort précoce de sa mère a entre-temps teinté son caractère d'une forme imperceptible de mélancolie. Il parle ouvertement de la malédiction qui pèse sur nous, et je n'ai plus la force de le contredire : on ne peut croire à la bienveillance du sort, devant un tel spectacle.

Nous passons nos journées à vider ce capharnaüm, à nettoyer et désinfecter ces sols. La poussière sèche nos poumons et sature nos gorges ; la vie secrète de notre frère achève de se défaire devant nos yeux accablés. Pierre s'était tué en ne laissant que des livres et quelques vêtements, Philippe nous lègue les décombres envahissants de sa vie entravée ; il faudra près de quatre cents sacs-poubelle pour tout éliminer, vingt jours pour accomplir ce grand nettoyage, où Jérôme se montre le plus endurant.

Je sauve la chapka rouge fourrée de lapin de Philippe, qui s'ajoute à la chemise qu'il portait avant de se jeter à l'eau. Je garde ses manuscrits, le journal qu'il tenait sur des petits carnets Clairefontaine, la photo nous montrant joue contre joue trônant dans l'entrée, près d'un portrait agrandi de notre mère, et une nième carte postale représentant le golfe de Porto, comme si Philippe avait tenu à repérer en détail le lieu de sa disparition. Je mets de côté le mot qu'Edoardo lui avait écrit chez notre père, n'ayant pas le courage de le lire, et récupère la lettre où je lui annonçais l'auto-internement de notre aîné à l'asile de Bourg-en-Bresse : la boucle est bouclée.

Philippe lisait tous les livres qui lui tombaient sous la main depuis l'adolescence, quand il ne les volait pas aux libraires. Essai ou roman, chaque ouvrage marquait une étape dans le processus de dévoilement du monde que ses insomnies prolongeaient sans fin, en lui conférant un savoir inépuisable. Nous héritons de milliers de volumes venus de l'ère où la psychanalyse et le marxisme, en nous libérant du joug de l'argent, de la morale et de la religion, devaient résoudre les problèmes individuels et collectifs. Caducs depuis la chute de l'URSS, la conversion de la Chine au libéralisme et de Cuba au tourisme, leurs titres autrefois prestigieux dégagent désormais une affreuse odeur de poussière. Ils matérialisent le temps dans lequel Philippe vivait, où les jours, les mois, les années ne s'écoulaient plus mais s'amoncelaient, au même titre que les factures et les immondices. Jamais je n'ai senti la puissance des faits et la fragilité des idées comme devant ces couvertures jaunies qui l'avaient précédé dans la mort.

Je décide de garder encore quelques-uns de ses films X, dans l'espoir d'éclairer les ressorts de son désir – la plupart mettent en scène des collégiens de l'âge que j'avais, à l'apogée de notre fratrie, se donnant du plaisir dans un pensionnat perdu. J'emporte encore les photos que mon frère avait prises, cinq minutes avant de disparaître, pour fixer une dernière fois la lumière du monde, presque aveuglante dans le golfe de Porto, et les traits sculpturaux de son ami Pierre, assis sur la plage. Ultime dépositaire de la mémoire de cette fratrie que Jérôme n'aura connue que dispersée, je m'empare de ces trésors tristes : Philippe a coulé avec la part de notre histoire dont il n'avait jamais su se détacher.

Un torrent d'idées noires m'emporte, au moment de refermer à jamais ce mausolée. Je ne suis plus que limon, déchets, détritus. Je claque des dents en me déshabillant, ne sens plus la chaleur de l'eau sous la douche, celle du soleil dans les rues. Philippe vivait de ses secrets, je n'avais pas le droit de violer cette sépulture. Je m'empresse de refermer ses portes, aujourd'hui encore, elles pourraient à nouveau me porter malchance.

Par quelle fatalité Philippe avait-il fini en clochard, lui qui supportait mal leur vue, comme Pierre avait sombré dans la démence, lui qui fuyait notre oncle fou ? Pourquoi Pierre était-il mort vierge ou presque, et Philippe n'avait-il pas fait le Livre que tous attendaient ? D'où venaient leurs inhibitions érotiques, en pleine période d'émancipation, et leurs paralysies littéraires, quand chacun s'autorisait à écrire ?

Le suicide de Pierre n'avait pas été une réelle surprise. Je l'avais vu simuler la folie pour mieux rire de ses dupes, avant d'y plonger tête baissée, couvrir ses livres d'annotations cabalistiques et de jeux sur son nom, puis détruire toutes les preuves administratives de son identité. Ses crises et ses internements répétés avaient rythmé notre existence, cinq ans durant. J'avais fini par le fuir, malgré ses tentatives récurrentes d'approche, comme s'il voulait reformer dans la maladie l'entité qu'on formait, enfants. Jusqu'à ce qu'il tente, dans une surenchère de paranoïa, d'étrangler notre père, dans l'appartement même où nous avions grandi, puis qu'il se fasse interner à Bourg-en-Bresse, la ville où ce même père avait grandi.

Pierre, qui écrivait le latin et le grec, savait tous les titres de noblesse de l'Empire, connaissait les capitales des cinquante États américains et faisait assidûment du tennis, de la natation et du ski nautique, n'était plus à 28 ans qu'un fantôme. Une telle vie n'était pas vivable, il nous le confirma en se jetant du troisième étage de l'hôpital.

Deux cadavres cohabitent désormais en moi. L'un a le visage rongé par le sel, l'autre, les traits soufflés par sa chute libre. Je suis leur vivant tombeau.

Les couches protectrices m'entourant se dissipent l'une après l'autre. Ma conscience tourne à la planète morte, faute d'oxygène et de lumière. J'entre dans la nuit perpétuelle des exilés de la vie.

Je me réfugie dans le travail, les semaines suivantes. Je me raccroche au livre en cours comme à une bouée, pour ne pas avoir à penser. Il lui faudra être assez juste, intrigant et fort pour tenir un lecteur en haleine, et je sais combien son attention est fragile, pour m'être vu incapable de me concentrer sur un livre, après le suicide de Pierre. Le téléphone sonne, un écran diffuse des milliers d'échanges enflammés, des salons de coiffure et des salles de cinéma s'ouvrent alentour et je n'ai ni images, ni bande-son, pas même un sèche-cheveux à offrir…

J'attrape un bus traversant la Seine pour rejoindre la ruelle abritant l'ancienne écurie me servant de remise : il n'y a plus ni lumière naturelle, ni rien qui me rappelle les plaisirs de l'existence dans ce lieu. J'achève de me retirer du monde, coupe un à un les ponts qui me relient à lui, en quête d'une obscure intuition. Seul à assembler, invertir et secouer des pans de phrases, des heures durant, j'avance en aveugle à la recherche d'une forme capable d'évoquer cette existence que des milliers d'acteurs contribuent à faire vivre, dans la réalité. Partagé entre le désir d'éclairer et la peur de tout dire, j'associe dans l'obscurité mille signes abstraits – lettres, points, virgules… –, dans l'espoir d'engendrer des situations aussi denses que la vie.

Chaque jour je creuse en moi de nouvelles galeries afin d'atteindre cette matière première qu'il me faudra affiner dix fois ; je descends si profond dans ma mine que j'atteins un lieu sans bord ni substance, où plus aucune lumière ne parvient. Même la résine de benjoin émanant du papier d'Arménie que j'enflamme ne parvient pas à assainir l'atmosphère saturée où je travaille.

Miracle, soudain ! Un groupe de mots se met à vivre de sa vie propre, dans un recoin inattendu de ce non-lieu. Je nourris aussitôt cet embryon de faits et d'idées, avec l'assurance que *trop* ne sera jamais assez. Je lui insuffle ce qu'il me reste de joie dans le but de le rendre plus fort que moi, avec la crainte, aussi, de lui infliger un déséquilibre fatal en le suralimentant. J'élimine à mesure que j'engendre des personnages inspirés de mon entourage, au risque de ne plus les retrouver intacts dans la vraie vie. Chaque note ne trouvera sa place exacte qu'après des tentatives répétées d'implantation qui lui font perdre tout éclat à mes yeux.

Mon corps réclame son dû, après ces heures d'abolition. Il ressort dans la nuit en quête de sang neuf, plonge dans les caves d'une boîte donnant de « vieux » airs disco, à mi-chemin du Marais et de la place des Victoires, c'est en s'agitant qu'il se repose. Il danse jusqu'à en perdre la tête en cherchant le regard des garçons, invite les plus troublants à prendre un verre, revient le lendemain en espérant les retrouver, attend…

Plus que le souvenir d'Edoardo, la présence virtuelle d'Henri me freine. Je profite du week-end de la Pentecôte pour le lui faire délicatement entendre et le regrette aussitôt, en voyant la mouche revenir hanter son iris. Il m'a si clairement élu pour advenir, je suis devenu si indispensable à sa survie que je l'imagine déjà, en le voyant gagner la cuisine pour faire du thé, égrainer une poudre issue de la pharmacie de sa mère dans ma tasse. Henri, l'adorable Henri, serait capable de traîner mon corps jusqu'au palier et de refermer hermétiquement le cagibi où je stocke mes vêtements d'été, avant de vider l'appartement de tout ce qui pourrait mettre sur sa piste.

Qui sait même s'il n'aurait pas l'idée d'achever mon livre, comme le Monsieur Ripley de Patricia Highsmith ?

Je reprends espoir en voyant Karim, un chauffeur de place menant chaque week-end un des héritiers des avions Dassault à l'héliport d'Issy-les-Moulineaux, venir boire un verre chez moi : il a le visage pulpeux, le regard flou et la bouche dédaigneuse de Juba II, ce prince de la Mauritanie romaine dont le buste me poursuivait durant mes séjours au Maroc. Son charme inquiétant me fait entendre, par une forme élémentaire de télépathie, qu'il appartient à cette espèce d'hommes dont j'attends avidement la reconnaissance, une peur insidieuse redouble mon désir.

Je déchante en voyant Karim se *faire l'amour* à travers moi, sans chercher à deviner mes attentes, puis jouir de façon grossière et, une fois rhabillé, frotter son pouce contre l'index, un sourire commercial aux lèvres.

Ayant débuté avec un physique de pâtre désinvolte qui m'avait valu des succès plutôt faciles – l'époque se retrouvait en lui –, j'arrive au mitan de la vie sans plus d'emploi précis : je ne suis ni le jeune candidat peroxydé à la prochaine télé-réalité, ni le vivant totem black qui illumine la couverture des magazines spécialisés ; un abîme me sépare du type de beauté ethnique qui prédomine. J'ai beau avoir perdu l'intense ambiguïté qui m'avait valu le surnom malicieux de la Claudia, je n'ai pas gagné en virilité brute. Cet échec personnel que l'âge consacre m'est signifié avec la violence inhérente au désir masculin ; ma cote s'effondre, à la bourse du plaisir.

Mes mots ne sonnent plus si juste, quand j'aborde un nouveau venu dans les bars. Je m'entends répéter des choses déjà dites, me vois reprendre un rôle dont je connais chaque réplique, il me confère bien plus qu'une identité, une forme indépassable d'humanité. De retour sur cette scène bruyante, après quelques saisons d'absence, l'acteur se sent à l'étroit dans la tunique endossée à 20 ans pour acquérir la masculinité qui lui manquait.

Le jeune homme qui vécut là une sorte d'utopie noctambule n'est plus moi, il me faut l'admettre. Le reverrais-je danser jusqu'à l'aube, sans douter un instant de son avenir, j'irais même le prévenir des difficultés qui l'attendent : ayant commencé à vieillir, je m'inquiète pour lui, je m'inquiète pour tout.

Il ne viendra plus, ce garçon en habits de lumière emportant tous les regards, ce frère érotique devant enchanter ma vie – sans que j'aie même l'excuse de coutumes hostiles, comme mes aînés. Je ne suis plus assez jeune pour attirer la chance, avoir 40 ans dans ce monde, c'est en avoir 60 dans l'autre. Je serai peu ou prou un célibataire condamné à payer les Karim de passage, un *sugar daddy*, dit-on outre-Atlantique, un *diet daddy* en l'occurrence.

Mais pourquoi me plaindre ? C'est la règle du jeu, j'étais le premier à juger normal qu'on paye pour moi, m'offre voyages et repas, quand j'avais 20 ans. Ma jeunesse me semblait sans prix, j'étais bien plus lucide !

Des hommes, j'aimais la force, la râpe des joues, l'odeur d'aisselle. Je me forgeais à leur contact, ils bornaient ma nature. Après m'avoir tant attiré, leur aspect hérissé en vient à me freiner ; ces barbes coupantes et ces crânes glabres me blessent d'avance : il faut être en bonne santé pour s'adonner au corne à corne. Les formes que la sexualité se donne changent tous les dix ans, et je me découvre assez peu souple dans ce domaine : les « cow-boys » vidant en silence leurs chopes de 1664 avant de pousser les portes battantes d'une *backroom* ne me font pas rêver. Ils ne s'adorent ni ne se haïssent, au contraire de leurs aînés, ils sont juste eux-mêmes et cette tautologie me désole.

Le moule d'où sortaient les garçons qu'à 20 ans je désirais s'est brisé en emportant mes ressorts érotiques : je ne retrouverai plus jamais les bouches pulpeuses, les chevelures abondantes et les regards insolents qui m'électrisaient chez les héros du *Satyricon* fellinien. Les professionnels du muscle et les androïdes huilés du XXIᵉ siècle approchant ne me disent pas plus que les chauves mutiques dont chaque tendon fait valoir le travail de la fonte. Ségrégué pour raison d'âge, j'invective l'uniformité de ces corps usinés – autant jeter des pierres au vent.

Ce monde était varié, à mes débuts. Il pouvait unir un canon de grâce à un garçon osseux, doté d'un sourire dévorant et d'un regard fiévreux (qu'on aille voir Caetano Veloso et Chico Buarque chanter *Partido alto* sur la Toile, on me comprendra). Exalté par la réprobation qu'il suscitait encore, il adorait danser, chanter, imiter, rire, se déguiser, faire valoir son ironie, sa culture, sa méchanceté, dissoudre le spectacle du monde dans l'acide de son langage. Des créatures y théâtralisaient leur vie à coups de fard, de plumes et de cris, dans l'attente des hypothétiques *panthères à peau d'homme* susceptibles d'apaiser leur hystérie. Leurs silhouettes déliées faisaient valoir les mille nuances vestimentaires du jeu social, de la femme au voyou et du macho au bourgeois. Je n'ai plus affaire qu'à des fragments d'êtres reflétés en série par des glaces tronquées.

J'ai besoin d'être sous le charme pour désirer, et à peine suis-je conquis que je pourrais aimer ; mais chacun ne suit ici que son strict désir, selon des codes toujours plus précis. Le fabuleux serpent rouge occupe toutes les pensées ; on se prosterne quand il paraît, concourt à le durcir, se pâme en le voyant jouir – je ne suis pas le moins zélé. Les adorants regardent la métamorphose s'accomplir dans la pénombre, l'escargot devenir cobra, gourdin, schlague, avant qu'ils ne s'agglomèrent dans une puissante odeur de poppers. Le plaisir se propage en chaînes anonymes : des millions d'êtres coïtent dans des boîtes régies par les mêmes codes et la même musique, de la côte californienne à la Chine redressée. La dernière bizarrerie de ce monde est d'avoir encore besoin d'un ghetto pour s'épanouir, de reproduire le cadre de son exclusion passée pour entretenir le fantôme de sa singularité.

Peu sentimental par nature, ce réduit ne me convient plus ; j'ai l'impression d'y vivre en deçà de mes moyens, d'en être réduit à une masculinité élémentaire. Je suis allé si loin dans ma quête de virilité, mon rejet du mou, du fade et du visqueux, que je me retrouve au milieu d'un désert de tendresse. Les hommes m'attiraient parce qu'ils me paraissaient plus imprévisibles, moins soumis aux impératifs de la reproduction que les femmes. Plus substantiels aussi, car moins dépendants de la demande d'autrui pour exister. Dispensés du sérieux de la vie, libres de déployer leur charme et leur drôlerie, ils détenaient les clefs du régime surmultiplié que les années 70 nous promettaient. Symétrie grecque ou grâce égyptienne, leur corps m'évoquait déjà une forme d'accomplissement artistique. Leur raideur sentimentale contribuait elle-même à les rendre désirables : j'étais certain de pouvoir les attendrir.

Il m'arrivait de dévaloriser l'aptitude féminine à l'amour, à force de voir des hommes quelconques en profiter. Comment pouvaient-elles accorder si peu d'importance à leur physique et tout attendre d'eux à la fois ? Je commence à comprendre pourquoi, lasses de si peu recevoir d'eux, elles finissent par choisir parfois les plus stables, les moins brillants aussi, pour bâtir leur vie ; les autres ne valent rien.

Je leur en veux de n'avoir pas su rendre heureux mon frère, comme de ne savoir que faire du cœur que je leur tends. Je soupçonne désormais leur sexe d'entraver leurs émotions en les entretenant dans l'idée de leur autosuffisance : l'instrument de leur supériorité devient celui de leur infirmité. Leur éclat s'estompe devant mes yeux effarés, mon désir frustré tourne au rejet. Jugeant indigne le traitement que les Edoardo et les Karim me réservent, je me révolte contre leur emprise, brûle ce que j'adorais.

Philippe avait été le modèle premier de toutes mes affections. Quiconque paraissait pouvoir concurrencer sa gaieté démoniaque suscitait en moi admiration et désir. Par son brio, sa joie, sa vitalité, Jacques, mon premier amour, avait encore renforcé cet élan. J'attendais des rencontres électriques, des fous rires partagés, des marches complices dans la nuit, des danses couronnées par le plaisir ; toute baisse de régime m'affectait. Mais les garçons que je croise s'avèrent étrangers à ce modèle, comme s'il relevait d'une lointaine préhistoire.

Je ne voulais pas être moi, enfant. Je n'ai plus envie d'être de cette façon-là, aujourd'hui. Quelque chose en moi réclame une purge.

Je cesse de sortir, au terme d'un combat d'un quart de siècle marqué par des phases aiguës d'exaltation et de découragement.

Je n'irai plus au marché à la viande.

Empêchée de jaillir, la sève s'écoule en moi, inonde mon organisme, empoisonne mes pensées. Je suis bon pour les conseils d'un psy et l'amour d'une mère, mais la mienne n'est plus. J'ai tout perdu.

5. *LA NYMPHOSE INACHEVÉE*

J'ai longtemps été l'enfant préféré de mon père, avant la venue de Jérôme. Moins hostile à la société que mes aînés, j'étais celui sur lequel il avait fini par reporter ses espoirs, bien que je n'eusse pas leur bagage. Mon métier l'inquiétait, par son instabilité foncière, mais il lui suffisait de voir mon nom au bas d'articles publiés par le magazine auquel il était abonné, et d'entendre ses voisins lui en faire compliment, pour être rassuré.

Je sais ce que je lui dois, un goût pour les choses bien formulées et une certaine assurance physique, que je suis en train de perdre. Mais il me serait difficile de lui faire des confidences, même indirectes, elles ne pourraient que le peiner, après le départ de Pierre et de Philippe.

Formé à la vieille école, mon père est sans compréhension pour ces désirs qui contredisent à ses yeux la nature. Il a beau avoir vécu avant guerre à Toulon, dont les bars à matelots faisaient la joie des Cocteau et des Marais, cet ancien officier de marine est si étranger aux formes d'amour qu'on y pratiquait qu'il s'étonne encore, cinq décennies plus tard, que de Lattre ait exigé que ses hommes se présentent à lui torse nu, pour les passer en revue, avant leur débarquement sur la Côte d'Azur : c'était à Calvi, dans la villa réquisitionnée de Roland Toutain, l'aviateur de *La Règle du jeu*, lequel aimait faire les quatre cents coups avec Jean Marais – un cascadeur si souple que Cocteau gardait une photo le montrant enroulé sur lui-même pour se donner du plaisir. Le propre frère de notre père, un général encore moins soupçonnable, s'était lui-même écrié : *T'es couillon, Hubert, t'es couillon!* en le voyant s'étonner du caprice de son supérieur. Toute l'armée savait que le maréchal de Tassigny aimait ardemment les hommes, notre père excepté.

Qu'a-t-il fait à Dieu pour engendrer des enfants aussi irréguliers, lui qui rêvait de nous voir à la tête d'entreprises prestigieuses et d'une ample progéniture? Aucun n'a de vie de famille ni d'emploi fixe, pas même Jérôme, pourtant sorti d'une école de commerce. Cet homme à femmes comprend mal ces fils qui se sont chacun dressés contre lui, violemment parfois, et leur acharnement à vivre autrement. La seule présence de l'étudiante cambodgienne qui occupe une chambre dans son appartement, en échange d'un peu de ménage, suffit à égayer son existence...

Alors que la disparition à 45 ans de Philippe m'a fait perdre ma foi dans la vie, elle l'a confirmé dans son stoïcisme chrétien. Soulagé d'apprendre qu'il était enfin inscrit à la Sécurité sociale, après des années d'errance, il a su se concentrer sur les faits positifs émergeant de cette vie secrète. La violence de ce nouveau départ a même renforcé sa religion : plus que jamais Dieu est la réponse aux épreuves qu'il traverse. Son Fils a péri pour nous sur la Croix, il est normal de souffrir à notre tour.

Mon père n'a pas peur de la mort. Dieu saura lui redonner une forme d'intégrité physique, un rôle et une légitimité, le jour venu, il le voit un peu comme ces auteurs qui recyclent dans un drame lyrique un personnage écarté de leur dernière comédie. Conscient de répondre par son autorité, son élégance et son calme à un emploi universel, celui du capitaine tenant par tous les temps son navire, Hubert est certain de retrouver au ciel sa femme, morte à tout juste 50 ans.

Il n'y a pas de jour où il ne pense à elle, un quart de siècle après sa disparition. Pas une semaine où il ne la croise au détour d'un rêve, remontant une plage avec sa gaieté légendaire. Il ne peut s'empêcher d'aller vers elle pour lui apprendre qu'elle a cessé de vivre, et il se le reproche amèrement en l'entendant protester de sa bonne santé, tout comme il souffre de la tuer une seconde fois en se réveillant. Cette fidélité est sa grandeur. J'ai beau avoir tout fait pour l'assouplir, en l'encourageant à refaire sa vie, il n'y a jamais pensé : notre mère l'attend au ciel, il ne la décevra pas.

Sa propre disparition s'annonce pourtant si blessante qu'Hubert l'entoure d'un grand flou. Plus il va en âge, moins il croit à une issue fatale, comme si cette perspective s'était usée à force d'avoir été évoquée. Convaincu de l'excellence de ses gènes, il se voit encore vivre longtemps, à 88 ans passés, et cette assurance me soutient. Je reste une promesse tant qu'il vit.

Il repose dans son lit, bouche ouverte, quand l'étudiante cambodgienne le découvre sans vie, au printemps 1998. Les murs de sa chambre sont constellés de sang, le cœur a lâché d'un coup.

Il a beau être le premier membre de notre famille à partir à un âge plus qu'enviable, sa mort me dévaste. Il était le dernier pilier auquel je puisse me raccrocher, le seul être à pouvoir m'évoquer encore une stabilité immuable. Je ne suis plus le préféré de personne, tout juste le survivant d'une histoire triste. Je deviens le plus vieux représentant de notre famille, un patriarche improbable, à tout juste 43 ans.

Ma dernière digue contre le néant vient de céder. Je ne pourrai plus m'en prendre à l'éducation que j'ai reçue, à la société qui m'a formé, à l'époque qui me hérisse, je ne serai que la conséquence de mes choix, l'unique responsable de mon sort.

La foudre me tranche la moelle épinière alors que je me douche, à l'aube des obsèques. La douleur est si intense que je ne peux même plus reposer le pommeau sur son socle. Je dois faire des prouesses pour m'exfiltrer de la cabine, prends une éternité pour rejoindre le salon, manque ne jamais pouvoir décrocher le téléphone – seule l'arrivée en catastrophe d'une intime me permettra de descendre les cinq étages menant à la rue.

J'en ai plein le dos de tous ces morts.

Les cloches de l'église Sainte-Jeanne-de-Chantal ressuscitent la sirène de l'ambulance qui porta notre mère à l'hôpital, le spectre de Pierre, suicidé alors que j'avais 22 ans, de ma grand-mère corse, décédée quand j'en avais 25, de mon oncle Pascal et de mon frère Philippe, tous deux morts précocement.

La somme dont j'hérite a beau rester modeste, elle se révèle plus importante que prévu. Fruit d'une hécatombe due à la leucémie et la schizophrénie, la noyade et le suicide, elle pèse comme une pierre à mon cou. Je tente de m'en défaire en vêtements, en dîners, bientôt en voyages, pour mieux restituer ces biens indus à leurs propriétaires légitimes, rien ne peut éponger ma dette.

Pourquoi investirais-je ? Je ne me prête qu'une durée de vie dérisoire.

Le titre du livre que je rends à mon éditeur dit pourtant le mince espoir que je garde. L'on peut perdre sa place, au *jeu des quatre coins*, en retrouver une autre aussi bien : la route tourne, il suffit de s'accrocher.

Des voix soulignent la sincérité du livre, comparent sa construction circulaire à celle de *La Ronde* de Schnitzler, disent le désarroi qui sous-tend ce tableau des amours masculines. Sa morale reste

65

pourtant trop sombre pour séduire ceux-là mêmes qui pourraient s'y reconnaître, il ne faut pas désespérer ce Billancourt-ci non plus. Difficile de tenir le mélange de vigueur et d'humilité, de patience et de fébrilité, d'investissement et de distance qu'un livre requiert, quand on a perdu foi en la vie.

Je parviens pourtant à me dissocier de cet échec en blâmant les aléas du calendrier, la brutalité des rentrées littéraires et le jeu trouble de mon éditeur. Mais cette esquive se révèle, à l'épreuve, plus douloureuse qu'une franche intériorisation. Blessé par l'accueil qui m'a été réservé, mon orgueil m'accuse d'être un piètre tacticien, indigne du programme glorieux qu'il m'a fixé. Il m'affame moralement dans l'espoir mal dissimulé de me remplacer par une monture mieux adaptée à son génie supposé. De tous les refusés, le créateur en échec est le plus malheureux ; il se transforme immanquablement en bourreau.

Ayant beaucoup donné et peu reçu, j'ai l'impression de reproduire l'inaptitude de mes frères à traduire littérairement leur trop-plein. J'ai beau savoir que nous sommes trop nombreux pour les quelques places offertes, je me fustige sans réserve. Victime de la guerre silencieuse que les écrivains se font, à chaque rentrée, j'ai partout l'impression d'être en territoire ennemi, suivi par des caméras. Je rêve d'une cape d'invisibilité qui me soustrairait à ces objectifs que j'attribue aux meilleurs de ma génération, comme s'ils n'avaient rien à faire que d'enregistrer ma déroute.

Je ne suis plus qu'un de ces milliers de figurants dont Paris dévore la substance – cinéastes sans film, actrices en quête de castings, intermittents en fin de droits, plumitifs harcelant les institutions de demandes de bourse, danseurs frappés de prescription par l'âge, plasticiens dépérissant sous le faux soleil de la notoriété.

Je perds tout goût pour le travail, tels ces moines zen frappés d'acédie pour qui le Bouddha n'évoque plus qu'un énorme navet humain de deux cents livres. Je découvre l'héroïsme ordinaire de ceux qui partent chaque jour vendre leurs compétences à d'autres et qui se retrouvent dépossédés, en rentrant le soir. Les caractères dansent sous mes yeux comme ceux d'un alphabet oriental, je dois m'efforcer de saisir ce que j'écris. Privé d'amour et de lecteurs, je touche au vrai monde, et il est glacial.

La foudre frappe à nouveau mon dos alors que je sors de la piscine des Halles, c'est pour le renforcer que je nage pourtant. Mon organisme cède, ma vie se casse en deux. Otage de mon lit désert, je cherche un peu de fraîcheur dans mon oreiller trempé, mais le tic-tac du réveil bat sans répit à mes tempes. Une petite résurrection s'opère à chaque fois qu'on s'éveille près d'un être aimé; je me lève épuisé.

Un bristol m'annonce qu'Edoardo a rejoint l'écurie de la galeriste de la rue Debelleyme qu'il convoitait. Il insiste pour m'avoir à dîner, au soir du vernissage, avec tant d'attention que j'accepte. J'éprouve un soulagement immédiat en voyant un de ses invités s'offrir à me masser, au sortir de table. Il me convainc d'écrire debout tout en voilant l'écran de mon ordinateur pour atténuer mes fatigues. Sa bienveillance inexplicable me bouleverse, je le raccompagne jusqu'au studio qu'un ami lui a prêté, dans la rue Mandar. Je le revois, fais de longues promenades dans Paris avec lui, m'attache à son sourire offert et à sa douceur, le vois repartir avec inquiétude à Aix, où il m'invite. Je fais mes bagages le cœur battant, le week-end suivant.

Un message embarrassé m'apprend, à l'aube de mon départ, qu'il a rencontré quelqu'un et sera moins disponible qu'il le souhaitait. Impossible d'être plus attentionné et plus cruel à la fois.

Je serais parti à l'aventure en d'autres temps, me serais embarqué avec des cadets endettés et des déserteurs en fuite depuis Saint-Malo, Calais ou Macinaggio. J'aurais chassé l'ours sur les côtes du Labrador et vendu des bonnets de fourrure aux Davy Crockett d'Acadie. Monté à cru des chevaux sauvages à travers la Patagonie, exploité le guano des Malouines ou le vétiver de Puerto Rico, comme ces « Américains » qui, fortune faite, revenaient ériger des mausolées grandioses dans le Cap Corse. Mais il n'y a plus aucune contrée à découvrir, l'ultime frontière est en moi et elle débouche sur la banquise…

Je cesse de répondre au téléphone, sauf à quelques intimes, de peur de finir comme l'un de ces solitaires toujours à accompagner leurs proches au cinéma ou au restaurant, qui finissent en fonctionnaires de l'amitié. *Deux étions et n'avions qu'un cœur* : ce vers de Villon suffit à me faire venir les larmes. Ma déroute est totale.

Une petite voix s'élève un jour en moi pour me demander ce que je ferais si les hommes en venaient à disparaître du globe. La réponse tardant, elle se met à déconsidérer l'homosexuel qui *m'empêche de vivre*, tourne en dérision ses attentes avec des mots qu'Edoardo n'aurait pas reniés. Elle l'accuse d'être bien trop fleur bleue pour son temps – elle se veut plutôt fleur noire –, me reproche de l'avoir mis en avant pour mieux étouffer mon secret ; elle ne le voit que comme un simulateur préservé par l'indifférence des grandes villes, qu'un témoin de jeunesse viendra dénoncer.

Dotée d'une mémoire hors norme, elle s'ingénie à ranimer le fantôme de l'hétérosexuel que j'aurais pu *aussi* devenir – un spectre ne peut être tué. Impatiente de voir une envoyée de l'autre sexe profiter de mon marasme pour ranimer cette part délaissée à 20 ans, elle réclame un peu de considération pour ce jumeau étouffé dans l'œuf, et je n'ai plus la force de trancher.

Je vis dans la crainte que tout s'effondre, moi le premier. Suivant des yeux les canalisations d'eau et de gaz qui courent le long de mon appartement, j'imagine déjà la perceuse ou l'allumette qui mettra au jour le foyer voisin. Des immeubles entiers vacillent dans mon esprit...

Je tremble en voyant Joan Crawford, la mère courage de *Mildred Pierce*, se faire gifler par sa fille, au cinéma Champollion. Je m'écarte en reconnaissant dans la foule qui quitte la salle une amie américaine d'Edoardo, belle et distante, connue lors du dîner ayant suivi son vernissage. À ma grande surprise, Laurie s'approche pour m'embrasser avec chaleur – le film l'a encore plus émue que moi. Elle compare ses interprètes à ceux du dernier Almodovar, qu'elle vient de voir avec Edoardo, lequel l'a qualifié de *mauvais mélo* – cela ne me surprend pas. Je comprends soudain, en la voyant évoquer sa *frigidité cinématographique*, puis en découvrant qu'elle garde pieusement une vidéo le montrant en train d'arpenter sans fin son atelier, une échelle de peintre en bâtiment sur le dos, qu'elle a été amoureuse de lui, en vain elle aussi.

L'intensité du regard de Laurie, la fermeté de son jugement, sa nature aimable et farouche à la fois, déclenchent en moi une véritable flambée. Retrouvant en elle le meilleur de notre ami commun, l'exubérance en moins, je claque des dents.

– Mais tu as froid ! s'étonne-t-elle.

On se réfugie autour d'un vin chaud dans le café de la place de la Sorbonne où elle a ses habitudes.

Je m'étonne qu'elle ait pu vouloir s'installer en France, sachant qu'elle y trouverait moins d'opportunités qu'à New York. Mais si Paris l'a attirée, c'est précisément parce que cette ville échappe encore un peu aux impératifs écrasants de la réussite. Ému par ce désintéressement inattendu, je vois en Laurie l'ultime héritière d'une bohème disparue chez nous mais qui recruterait encore à distance, par-delà l'Atlantique.

Je la retrouve à déjeuner la semaine suivante, chez un Tunisien du boulevard de Belleville. Ses pommettes asiates m'obnubilent, son type est d'une grande pureté, la beauté est la dernière transcendance à m'atteindre.

Incapable de me déclarer, je suggère au magazine qui m'expédie en reportage dans la plaine du Pô d'engager Laurie comme photographe. Elle accepte de m'y suivre, tout en s'étonnant qu'une publication aussi *tendance* s'intéresse à son travail – elle photographie les *sans-domicile-fixe* du bois de Vincennes. Pressé de questions dans un bar de Bergame, je finis par évoquer mon intervention. Laurie découvre mes manigances et s'en dit horrifiée : on ne confond jamais travail et désir, dans son pays.

Je rentre à Paris en loques. Ces rues me connaissent par cœur, avec leurs déchets humains blottis dans des boîtes de carton, jusque dans les halls d'immeuble et les cabines téléphoniques. La blancheur de peau et la sécheresse de cœur des Parisiens me hérissent, tout autant que leur individualisme agressif. Je rêve de gestes conciliants et de sourires offerts, ne trouve que des voix sèches et des cœurs fanés. Je suis las de ce pays qui ne se voit plus d'avenir, pour s'être trop bien réalisé à travers ses rois et ses émeutiers, ses saints et ses aventuriers, ses écrivains et ses inventeurs. En le dotant de mythes tout-puissants, ils ont convaincu ce peuple de paysans sceptiques et de boutiquiers regardants qu'ils étaient les descendants directs de Louis XIV et de Danton, de Sade et de Baudelaire, d'Eiffel et de Lesseps. Devenus des ouvriers au chômage et des technocrates sans saveur, ces derniers peinent donc à sortir du cadre démesuré dont ils ont hérité. Nés dans l'un des quelques pays à s'être donné une mission historique sur terre, persuadés qu'il n'y a rien de mieux que de discourir de tout avec esprit en mangeant dans une authentique vaisselle de Limoges, ils découvrent avec effarement que l'art de vivre à la française n'intéresse plus grand monde, avec l'abolition des frontières et le consumérisme universel. Je me retrouve l'otage d'une République épuisée.

Un garçon me demande l'heure, dans le bus qui me mène au travail, sur le pont reliant la Concorde à l'Assemblée – il est préparateur chez un fleuriste de la place du Palais-Bourbon et craint d'être en retard. Loquace, joyeux, étrange, Aurel tient son regard planté dans le mien, tout au long du trajet. J'apprends que son oncle, éleveur de vaches tarentaises, a fondé à la fin des années 70 l'« Union pour la Race » afin de protéger cette espèce savoyarde menacée – le détail me frappe, on ne s'exprime plus si crûment en 1998. Un visage frais et rose fleurant la haute montagne, un crâne ras de bonze doux venu vivre en ville, des fossettes qui lui donnent l'air de sourire en permanence, Aurel se raconte aussi librement que si l'on se retrouvait avec régularité dans ce bus.

– Tu n'écris pas ton numéro de téléphone? s'étonne-t-il en me voyant lui rendre le ticket de transport qu'il a délibérément laissé tomber.

Jamais Parisien ne m'a tendu piège si gracieux.

Je l'embrasse avec l'énergie du vampire, en l'entraînant le surlendemain soir chez moi, le mineur a besoin de sang frais au sortir de ses galeries. À peine Aurel se déclare-t-il, au terme d'un week-end passé à visiter les châteaux de la Loire, des Réaux à Amboise, et fais-je mine de lui emboîter le pas, qu'il se lance à la reconquête du compagnon qui vient tout juste de le quitter. Un jour il me veut et le lendemain il me fuit, mon métier et ma disponibilité l'intimident, à retardement. Traité avec un tact qui met Aurel à l'abri de tout reproche, j'interromps ce pas de deux épuisant.

La foule est dense, dans le cocktail où j'échoue par je ne sais quel hasard sur le plateau Beaubourg – le centre culturel de l'ex-Yougoslavie célèbre Vidovdan, la fête nationale serbe, en ce 15 juin. Rejoignant le buffet, je me retrouve nez à nez avec une actrice turque ayant suivi son mari cinéaste à Paris. Parlant français avec un fort accent, elle peine à retrouver des rôles et ne se fie même plus à l'influence de son époux, qu'elle me montre parlant à son amant – *le mien*, précise-t-elle avec une fierté que je ne peux qu'approuver.

Elle en est déjà à comparer leurs vertus amoureuses lorsque son portable sonne. Ses joues s'empourprent, un nouveau prétendant se profile, ils tiennent rarement plus de trois mois, m'avoue-t-elle en raccrochant, même si elle s'efforce *de tous les aimer*. Nejmié est si peu capable de garder un secret qu'il me semble la voir s'effeuiller derrière la glace sans tain d'un *peep-show*.

Elle a l'intelligence auto-ironique des désespérés, les yeux charbonneux des insomniaques, la pâleur des goules qui s'abreuvent au cou de leurs victimes. Excessive, cruelle, imprévisible, elle se consume dans des cycles alternés de séduction qui la privent de sommeil, comme de la plus élémentaire stabilité. En quête d'un homme total, Nejmié ne rencontre aussi que des lambeaux de masculinité : aucun homme n'est à la hauteur du schéma régissant ses amours détraquées, nul ne parvient à la faire vivre avec l'intensité requise.

Les frustrations que je devine sous son hystérie m'atteignent au plus profond. J'évoque à mon tour les espérances qu'a fait naître en moi Aurel et mon escapade manquée avec Laurie. Mon statut de transfuge potentiel décuple aussitôt ma valeur ; de témoin privilégié de son donjuanisme, je deviens le possible interprète de ses flamboyants scenarii amoureux.

Elle jaillit dans la remise où je travaille, un sourire béat aux lèvres, le surlendemain. Je n'ai pas le temps d'exprimer ma surprise qu'elle m'offre sa bouche brûlante en libérant ses épaules nues de son manteau de lapin. *Je suis la première Turque que tu tiens dans tes bras?* demande-t-elle extatique, comme si ses compatriotes se consumaient toutes en dégageant une même flamme aveugle. Je ris avec Nejmié, on ne peut être plus folle et drôle à la fois.

Je m'embrase en la retrouvant dans le café suédois qui ferme la cour du Centre national du Livre. Son tee-shirt souligne l'aréole de ses seins, tout attribut saillant m'attise désormais. Qu'importe si je cours à l'échec, je préfère mourir par le feu que par la glace. Galvanisée par le mot que j'ai glissé dans son sac, Nejmié revient me soumettre le contrat que Sacher-Masoch fit signer à Wanda, son bourreau en jupons. J'ai beau contresigner à l'encre violette chaque article, les choses peinent à dépasser ce stade notarié.

Je joue mon va-tout en retrouvant Aurel-le-bagnard, échoue si bien que, ravalant ma fierté, je m'en retourne vers Nejmié, elle aussi tergiverse. Voulant à tout prix être aimé, j'offre mon être sur un plateau à l'Élu(e), mais c'est un sacrifice si complet et précipité qu'il perd presque toute valeur. Ce n'est plus qu'un seul et même amour qui s'enflamme à chaque corps éligible, à chaque pénis ou chaque tétin, en faisant jaillir une semblable lave sur l'idole effarée. Renvoyé d'un bout à l'autre du billard érotique, j'échappe à tout contrôle.

Suis-je en quête d'un garçon au cœur tendre ou d'une fille à tête dure? Je ne sais plus. Cela bouge si fort en moi que je crains de me réveiller bloqué entre les sexes, au sortir d'une nymphose incomplète…

La faille se rouvre. Les êtres assemblés par erreur sous mon toit recommencent à se disputer mon avenir et mes goûts. Mais leurs paroles alternées me trahissent, plus qu'elles ne m'expriment, leurs voix me cassent les oreilles. Ne sachant plus quel est mon vrai *moi*, je vis dans la crainte du mal qui a miné mes frères et mon oncle.

Je n'échappe à cette guerre civile qu'en saisissant au vol les échanges, dans le métro, la moindre contradiction m'assure que mes voisins s'épuisent à donner le change. M'insinuant dans leur conscience abîmée, je me convaincs que leur vie n'est que mensonge et chaos, simulacre et posture : tout se défait au contact du ferment qui me ronge.

Les événements ne m'atteignent plus. La conquête de l'Afghanistan par les talibans, l'assassinat du préfet Érignac dans les rues d'Ajaccio me semblent concerner une autre planète. Les nuées d'envoyés à micros qui s'abattent sur chaque fléau avant d'abandonner leurs victimes pour repartir vers un nouveau foyer de malheur me laissent indifférent, c'est la matière même du monde qui se dissout dans cette surproduction. J'avais vu la voyante préférée des Français triompher, lors du bicentenaire de la Révolution, en « prédisant » avec deux siècles de retard, forte de son ignorance radicale de l'Histoire, que Louis XVI hésiterait à faire tirer sur la foule et s'enfuirait vers l'est. Le passé n'a cessé de se dissoudre depuis et nos vies, de perdre de leur substance.

Le seul spectacle à me réconforter encore est celui des émissions animalières. Il n'y a plus là ni justice ni morale, le faible meurt et le fort mange, c'est la loi et c'est très bien ainsi. Que la lionne est belle quand elle dépose sa proie toute fraîche aux pieds de ses lionceaux et qu'ils se jettent sur ce rival agonisant – gnou, gazelle ou girafe! Ces petits fauves déchiquetant des bêtes dix fois plus lourdes qu'eux me réconcilient avec la vie.

Passé sous l'influence de la lune, je ne ressens plus le soleil ou la pluie; le climat a été aboli, le gel du temps rend tout indifférent, la même journée revient toujours. J'invoque la mort sans me l'infliger, comme l'on croit en Dieu sans pratiquer : je préférerais que d'autres s'en chargent, je ne suis pas de force à me faire son agent.

Pierre vomissait les psychiatres et Philippe se méfiait des médecins, comme si l'on attrapait les microbes chez eux? Je m'allonge deux fois par semaine sur un divan pour les chasser de mes pensées. Je confie à celle qui m'écoute avec une patience déroutante que j'aimerais pouvoir sortir de la vie un an ou deux, dormir sinon quelques saisons. Mais saurais-je revoir l'existence à neuf, au réveil?

Je n'aère plus mes pièces, cesse de laver mes draps, laisse périr les fleurs de mes jardinières. J'entre dans mon lit avec l'impression de tester ma tombe, reste à écouter la *Neuvième Symphonie* de Mahler étirée par Bernstein à l'article de la mort : les cordes de ces violons ralentis tranchent mon cœur.

Je me relève en sueur, au milieu d'une nouvelle insomnie. Le faux jour que la lune diffuse dans le salon me confirme que la mort règne sur tout l'univers, notre pauvre terre exceptée. Ayant perdu père, mère et frères, je ressens le caractère profondément accidentel de notre présence…

La gaieté des invités réunis dans l'immeuble voisin achève de me briser le cœur. Issu d'une famille où l'on meurt tôt, je décide de précéder l'appel.

Quel intérêt garde un film quand on connaît la fin ?

Je vais m'achever, faute d'être parvenu à m'unifier.

Je n'ai qu'un bond à accomplir pour suivre Pierre dans sa chute ; quelques pas à faire pour gagner la Seine, les poches gonflées de cailloux, et me laisser porter jusqu'à ce *salon sous les mers* où Philippe m'attend. Je vais reformer notre fratrie en accomplissant son destin lunaire.

Pourquoi même me tuer ? Je suis déjà mort.

6. *LE PAYS SANS CHAPEAU*

Je me tourne vers l'un des derniers amis à qui je puisse encore tout dire.

Une nature heureuse, une intelligence véloce, un sens inné de la débrouillardise, du culot et du tranchant, Charles est le frère que je m'étais choisi, bien avant d'en perdre un second. Un journaliste exaspéré par ses apparitions télévisées l'avait comparé, lors d'une grève lycéenne de 1974, à un australopithèque tombé de son bananier, disons qu'il s'est bien relevé. Il va dans le monde avec l'aisance des passe-muraille, de New York à Da Nang, tels ces *Luftmenschen* qui hantent les contes yiddish dont Chagall peupla ses toiles.

Nous n'avons qu'un an moins une semaine de différence, mais Charles n'aime pas trop avoir le même âge que moi, je le vieillis durant ces sept jours ; à peine redevient-il mon cadet qu'il retrouve sa bonne humeur. Il est si optimiste, il a une si grande confiance en son étoile qu'il fait toujours beau où qu'il aille. Lui seul parvient encore à me distraire de mon tête-à-tête avec la mort.

Il m'écoute en évitant de me juger, c'est déjà me faire crédit : content de sa vie, Charles sait être attentif sans blesser. Croyant plus aux dispositifs qu'aux natures et aux situations qu'aux individus, il sent d'instinct que je dois changer de climat, si je ne veux pas mourir asphyxié. Une bonne part de sa famille ayant réussi à échapper à la mort programmée des camps d'extermination – sa mère avalait chaque soir un diamant qu'elle récupérait le lendemain dans ses selles – il a le réflexe de partir, dès qu'il sent le danger.

Paris ne l'intéresse plus trop non plus, la vie y sent le sang, la sueur et les larmes. Il préfère passer la saison froide en Haïti, un pays découvert en 1989, lors du bicentenaire de la Révolution française. Port-au-Prince lui rappelle le climat peu réaliste qui régnait dans le Paris des années 70, en plus dépaysant. Des ministres aux trafiquants et des artistes aux houngans, les commandeurs des cérémonies vaudoues, il croise à toute heure les personnalités les plus intrigantes à l'Oloffson, le légendaire hôtel du bas de la ville, comme autrefois à la Closerie des Lilas. Son Haïti n'est pas le pays misérable dont les médias amplifient *ad nauseam* les drames, mais un royaume où le réel, porté par une culture hors norme, toucherait au merveilleux. Plus que l'île souffrant des séquelles d'une interminable dictature, il aime la terre hantée par les *lwas,* ces divinités censées relier les Caraïbes à l'Afrique-Guinée à travers les tunnels qu'empruntent les vaudouisants après leur mort.

Frère cadet de Maurice, qui anima la fronde lycéenne lors du printemps 68, Charles a été l'un des militants les plus charismatiques des années 70, le moins dangereux aussi : le cinéma Artistic Voltaire et ses concerts rock recevaient plus souvent sa visite que les usines Citroën. L'anarchie couronnée régnant en Haïti lui semble désormais le meilleur des anti-systèmes : chacun s'y arrange pour survivre sans la moindre aide de l'État, une formule qui tuerait une bonne part des Français mais qui a fait des Haïtiens d'incontestables athlètes de la débrouillardise.

Conquis par ce premier contact, Charles est revenu filmer la cérémonie vaudoue du Bois-Caïman, d'où la révolte des esclaves partit le 14 août 1791. Capable de s'adresser à tous, malgré les barrières de langues et de classes, il s'est fait recevoir dans les sociétés les plus fermées, où se jettent les sorts et se concoctent les poisons. À force de sillonner la presqu'île, caméra à l'épaule, il sait tout des zombies, des loups-garous et autres galipotes, ces chimères suceuses de sang qui surgissent la nuit, comme des *nbadlos* (en-bas de l'eau), les esprits vivant au fond des mers. Il a même trouvé dans ce pays, où l'histoire se teinte de fiction et l'exil de poésie, le ressort de son identité créatrice.

Connaissant les vertus roboratives d'un peuple qu'il a vu se lever contre les militaires, à l'appel du père Aristide, élu triomphalement président en 1990, Charles me fait inviter par l'Institut français de Port-au-Prince pour évoquer la trajectoire de Chamfort. Le moraliste, dont j'ai écrit dix ans plus tôt la vie, fut l'inspirateur caché de la Révolution et son protecteur créole, Vaudreuil, était l'un des plus gros planteurs de la colonie. Je mesure mon privilège : Charles aime voyager seul et ne fait jamais que ce qu'il aime.

L'air est à l'exacte température du corps à notre arrivée à l'aéroport de Maïs Gâté. Une foule de porteurs, de guides et de changeurs nous assaille avant qu'on ait pu atteindre un taxi, des marchandes nous proposent des douces et des pistaches, des cigarettes et des billets de loto. Un enfant frappe à ma vitre en plongeant la main dans la bouche – un tiers du pays ne mange pas à sa faim.

J'ouvre grand les yeux pour chercher des semblants de repères dans ce chaos. Je note les échoppes de coiffeurs et les guichets de borlette, l'omniprésente loterie locale, les camions reliant les provinces et les tap-taps, ces carrioles bariolées qui servent d'omnibus aux plus pauvres. Beaucoup invoquent l'autorité de l'Éternel et la protection de son Fils, *Kris Kapab!* s'exclame une enseigne sur deux.

Partout reproduits, les versets de la Bible trahissent l'identification de ces descendants d'esclaves aux Hébreux : déportés à des milles de chez eux, ils n'ont plus de racines qu'au ciel, eux aussi. Ils vénèrent même plus ouvertement Moïse, Ézéchiel et les prophètes que les Juifs, qui ne peuvent prononcer le nom de Yahvé : Charles se retrouve en terrain familier.

Nous posons nos bagages dans l'escalier de bois menant à l'hôtel Oloffson. Les cheveux gris noués en catogan, le directeur nous désigne, complice, les chambres de la passerelle qui portent le nom de leurs visiteurs les plus notoires, de Mick Jagger à Jean-Claude Van Damme en passant par Charles Najman lui-même. Familier depuis quarante ans de ce *gingerbread* qui fut la résidence d'un ancien président de la République, Aubelin Jolicœur nous salue gracieusement avant de nous distiller les dernières nouvelles. Talonnettes et canne à pommeau, veste en seersucker et pantalon à carreaux, il a publié ses chroniques mondaines sous tous les régimes et a « joué » pour chaque président, un vrai *musicien-palais*, dit-on ici : après avoir servi de modèle au Petit Pierre des *Comédiens*, le roman de Graham Greene, ce dandy inusable s'applique à ressembler chaque année un peu plus à son personnage irréel.

Maisons ruinées, pillées ou simplement érodées par les cyclones, les vents et l'air de la mer ; fatras où s'accumulent pneus crevés, cadavres d'animaux et ferrailles rouillées, sur trois mètres parfois, dans une pestilence d'épluchures ; égouts courant à l'air libre en charriant des eaux noires saturées de savates orphelines et de bidons en plastique ; carcasses de camions balisant des routes que chicanes et trous d'eau transforment en gruyères : tout se délite dans ce bas de la ville, même les billets crasseux de 20 gourdes fondent entre mes paumes.

J'entre dans la ronde des vendeuses de surettes quand Charles aborde un garçon brossant à grande eau la carlingue encore fumante d'un camion pour l'interroger sur la composition de l'équipe de football devant affronter Cuba dans le stade Syvio-Cator voisin. Saisissant l'occasion de pratiquer son français, le gamin nous annonce avec assurance qu'Haïti va l'emporter. Charles lui demande si Papa Legba lui a soufflé le résultat, il rougit au seul nom de l'esprit intercédant entre les *lwas* et les hommes – il doit être un *moun légliz* plus qu'un *moun vaudou*. Je le déçois à mon tour en lui apprenant que la tour Eiffel n'est pas le palais où dort le président français.

Qui se soucierait de l'infirme qui mendie dans sa boîte montée sur roues, dans une telle misère ? Deux millions de Port-au-Princiens ayant un besoin urgent de soin, de nourriture et d'argent, les autres avancent avec des œillères, la seule façon de se protéger contre la tragédie est d'ignorer ses victimes : Charles a vu un corps rester des jours dans un égout sans que personne songe à y toucher.

Le cimetière ne mérite plus ce nom. Autrefois gardé par la sépulture de Baron Samedi, le redoutable Monsieur-la-Mort du vaudou, le mausolée des Duvalier se résume à un amas de gravats. Les défunts des familles Lhérisson, Tranquille et Pluviose sont à la merci du premier cyclone, leurs sternums et leurs tibias dépassent des tombes en ruine d'où les vaudouisants les arrachent pour célébrer leurs rites nocturnes – le jeune orphelin qui en remplit sa gibecière nous confie qu'il les vend à une communauté de sculpteurs installés dans la Grand'Rue.

J'ai l'impression d'arriver pour la fin du monde, au moment où les caveaux s'ouvriront pour laisser les squelettes s'envoler vers leur résurrection.

La nuit tombe d'un coup, peu après six heures. Aussitôt les rues se vident, seuls les plus pauvres se risquent à poursuivre à pied, des bandits arborant les uniformes de la police nationale dressent des barrages pour rançonner les véhicules, depuis la dissolution de l'armée. Poussés par un vent chaud qui porte les échos mélodieux du créole à nos oreilles, nous filons vers l'Oloffson, un poète jovial nous attend.

Descendant d'un général qui lutta contre l'occupation américaine dans les années 30, Dominique Batraville évoque avec fierté, entre deux rires d'ogre, son séjour à Ville-Évrard, l'asile où Antonin Artaud fut interné. La densité de son délire me fait entrevoir la puissance d'envoûtement des mythes haïtiens, qu'ils soient bibliques ou vaudous. D'une richesse « prophétique », ses improvisations torrentielles me laissent deviner un peuple fier de sa solitude grandiose – lui seul ne parle ni l'espagnol ni l'anglais, dans les Grandes Antilles. Jamais je ne me suis senti si loin de la logique française et si proche de son génie littéraire.

Nous filons à l'aube vers le nord, en doublant des *school bus* offerts par l'Amérique roulant klaxon bloqué, au milieu de foules allant à pied. Cases paysannes parme et turquoise, fleurs d'hibiscus abricot, flamboyants orangés, rizières criblées de nénuphars violets, écolières en jupettes bleu roi contournant des milliers de cerises de café vertes ou roses qui sèchent à même la chaussée, mille teintes font flamber la route. Le monde retrouve l'éclat qu'il avait, à travers les billes d'agate qui enchantèrent mon enfance.

La route se met à grimper sec au sortir des Gonaïves. Nous parvenons au sommet du morne lorsqu'une femme vêtue d'un simple bonnet de douche sort nue de sa case pour se pencher, en retenant d'une main ses seins. Il me semble avoir rejoint la Patagonie des contes, ces antipodes où les *natives* passaient pour marcher sur les mains : le sang afflue à nouveau dans mes tempes.

J'achève d'oublier mes idées noires devant le tassot de cabri et le maïs moulu que l'épouse du maire de Milot nous sert avec une prodigalité royale : le contraire de Paris, où l'on ne me donne plus rien pour trop bien me connaître. Le monde créole m'apparaît fastueux, après le nôtre.

La nuit tombe à notre entrée dans les faubourgs du Cap-Haïtien, seuls les portails des grandes propriétés d'autrefois se découpent encore dans l'obscurité. Les trois quarts du sucre produit dans le monde l'étaient sur cette route, dans les moulins des habitations Choiseul, Polastron et Vaudreuil, les plus rentables de toute l'histoire coloniale – de là partirent les premières révoltes en 1790. Le black-out est total dans ce qui fut la capitale de la colonie ; seule la flammèche des bougies jette encore une lueur tremblante sur les planches des maisons, les étals des marchandes, les tables où l'on joue aux dominos, au bésigue et aux dames, à califourchon sur des chaises d'enfant.

Deux spectres se balancent sur leur dodine en tirant sur des pipes aussi longues et culottées que celle du père Duchesne : les joues creuses et la mâchoire édentée, ces petites vieilles semblent garder l'entrée du *pays sans chapeau*, cet Au-delà que les vivants n'abordent que coiffés d'un huit-reflets, les morts ayant seuls le droit de rester tête nue à leur enterrement. J'étais bien plus fatigué que ces vieilles quatre jours plus tôt, bien plus mort aussi…

On s'enregistre à la réception de l'Hostellerie, l'auberge où travailla le futur roi Christophe, Henri de son prénom, l'un des pères de la patrie haïtienne, et son pire bourreau à la fois. Sonné par le décalage horaire, je dors d'une traite, pour la première fois depuis des mois.

La ville uniformément noire se révèle saturée de couleurs, à mon réveil. Le soleil des tropiques illumine des rues éclatantes dont le plan évoque le damier de La Nouvelle-Orléans : rouge sang ou bleu lavande, parme ou pistache, les façades rivalisent de tons crus qui me rappellent les glaces à l'eau vendues place Saint-Nicolas, à Bastia. Charles est reconnu par une marchande coiffée d'un « mouchoir de tête » rouge pirate qui ne tarde pas à s'accroupir derrière l'épave d'un bus pour baisser sa culotte et lâcher un jet d'urine fumant – personne n'y trouve à redire, « paysanner » fait partie des nécessités quotidiennes.

Le stoïcisme des Capois me frappe. Faute de cuisine et de salle de bains, de four et de frigidaire, ils se lavent au gant de toilette, jettent leurs eaux usées dans la rue, passent leur journée en quête de charbon de bois et de nourriture sans jamais se plaindre. Ni l'infirme crapahutant sur deux béquilles, ni la grand-mère poussant une brouette remplie de blocs de glace ne songerait même à se suicider, aux dires de Charles.

J'en viens à rougir de l'état où je me suis laissé tomber en croisant un vieux nègre édenté qui boite avec grâce, un tricorne de paille sur la tête. Le sourire à la fois pudique et souverain qu'il m'adresse me dit sa fierté de vivre libre, dans la ville qui défit l'armée la plus puissante d'alors, celle de Napoléon, puis fit naître la première bourgeoisie noire au monde. Il fallut tant de courage à ses aïeux pour se libérer de leurs chaînes que j'achève de me reprendre en imaginant ce que serait ma vie sans l'assurance de manger deux fois par jour. Les ancêtres de ces gens sont parfois morts d'épuisement, sous les ordres des nôtres. Je dois me tenir aussi bien qu'eux.

Ils ne nous en veulent pas, pourtant, pas plus qu'ils ne se reprochent leur misère. Ils s'interdisent même de tendre la main à ces coffres-forts mobiles que nous figurons à leurs yeux. Issus du seul pays des Amériques à avoir engendré deux empereurs et un roi, ils nous envisagent naturellement en égaux : *Le premier des Noirs au premier des Blancs*, disait Toussaint Louverture dans ses lettres à Napoléon.

Je ne me sens pas un instant perdu. Je me retrouve à l'inverse en découvrant qu'on *déjeune* à l'aube, se dit *bonsoir* dès midi, *dîne* à une heure de l'après-midi, *soupe* dès sept heures à la lueur des *baleines* dont l'huile faisait brûler les bougies, pour s'attaquer avec *grand goût* aux plats, comme chez Rabelais. À l'instar des *bagatelles* et des *brimborions*, des *fanfreluches* et des *fredaines* que la Révolution éradiqua de notre vocabulaire, les mots d'Haïti prolongent la courtoisie mutine de l'ancienne France, comme les *vagabonds* et les *sans-aveux* disent la violence qu'elle infligea à cette terre. Le pays le plus pauvre du continent perpétue la langue de ce qui fut la nation la plus riche d'Europe, son élégance et sa fierté aussi, plus sensible dans le peuple que dans la société, je ne vais pas tarder à le découvrir. Comme si s'arroger les mœurs de leurs maîtres avait permis aux esclaves de les égaler, bien avant de les vaincre par les armes.

Je crois rêver en voyant un tap-tap intitulé *Marquis de Vaudreuil* remonter l'Avenue espagnole : le Créole qui contribua à perdre Marie-Antoinette en introduisant à Versailles les mœurs lascives de la colonie, via la Polignac sa maîtresse, reste assez présent ici pour baptiser un taxi collectif. J'infuse mon propre passé en arpentant les rues de Condé, de Rohan et de Penthièvre, comme si j'évoluais dans le Paris d'avant la prise de la Bastille. Je deviens celui que j'aurais été, au siècle des Lumières, en foulant ce pan du faubourg Saint-Germain ayant dérivé jusqu'aux Caraïbes.

La cheminée d'une sucrerie coloniale apparaît soudain, à l'arrière-plan du marché de la place Clugny où l'on vendait les esclaves à la criée : volatil comme un gaz, le temps d'hier se mêle à celui d'aujourd'hui. Je souris en entendant Charles lancer *Bonjou ma kòmèr!* à une paysanne qui lui répond *Bonjou chérrri!* avec la même rouerie, avant de nous proposer des chapelets de piments et de pilpil. Mes sens se réveillent au contact de la mangue fil qu'elle nous ouvre au coutelas : sa chair jute dans mon palais en me donnant la même impression de luxe que l'odeur musquée de l'hibiscus.

La voix rongée par le clairin et les *Comme il faut,* les cigarettes locales, deux vieux « troubadours » chantent leur amour pour *Antoinette* et *Suzon* à notre retour à l'Hostellerie. Le crincrin mélancolique de leur banjo et la malice paysanne de leur répertoire nous ramènent aux contredanses qu'on exécute encore dans les mornes de Fonds-des-Nègres en trinquant *au roi, à la reine et au petit Dauphin.* En entendant le chanteur demander *Plaît-il?* à Altidor, l'homme-banjo, puis ce dernier le comparer en riant – il a 75 ans mais en paraît 50! – à ce *comte de Saint-Germain* qui prétendait, sous Louis XV, avoir vu Alexandre entrer dans Babylone, je plonge tout entier dans notre passé.

Les restes d'une fontaine coloniale nous apparaissent au détour du Carénage, où les caravelles déchargeaient leurs « marchandises » humaines avant de repartir gonflées de sucre et de café. En me penchant pour boire au bec qui ravitaillait les équipages, je découvre un médaillon où l'on devine encore les lys de France. Bercé par des glouglous sentant le cresson sauvage, je profite de cette faille dans l'espace-temps pour me glisser *physiquement* dans le siècle des Lumières et me retrouve, comme au cœur d'une sieste, dans la peau d'un mousse tétant cette fontaine en 1793 et s'étonnant, face à ces fleurs de lys sculptées, de la persistance des symboles de l'Ancien Régime. Malchanceux en amour et en art, fâché avec sa ville et son temps, le Claude de 1998 se réveille dans les habits d'un marin s'inquiétant du devenir de la Révolution.

J'ai soudain l'intuition que le passé n'a jamais existé, tel que nous le concevons. Les vieilleries dont nous le peuplons sont l'envers accusé du présent indépassable que nous croyons naïvement incarner. Nous l'imaginons ployer sous le poids de préjugés poussiéreux ? C'est que les images qui nous le figurent ont vieilli, le papier des gravures s'est altéré, la toile des tableaux a jauni. Il était périmé dès son apparition, croyons-nous naïvement, tels ces nouveau-nés qui surgissent avec des peaux plissées de vieillards. Mais rien ne sépare la minute désaltérante vécue par ce marin de 1793 de celle que je vis, comme l'hiver terrible où Buffon perdit sa mangouste vaut bien la saison glaciale que je viens de connaître à Paris. La première scène dut même avoir un goût plus « moderne », pour s'être déroulée dans la lumière printanière de l'an II, quand tous les espoirs étaient permis. Le passé n'est pas né vieux, il a commencé encore plus jeune que nous et que moi, en l'occurrence ; le Cap-Français et le Cap-Henri étaient tout aussi contemporains que le Cap-Haïtien que j'arpente.

La trame déchirée du temps se reforme, tandis que je regagne ma chambre. Heureux d'avoir éprouvé une autre façon d'être, parmi les mille que l'histoire nous a léguées, je veux croire que Philippe s'est bien envolé pour les antipodes, qu'il y mène une nouvelle vie, aussi dense que celle que je découvre.

Je m'éveille lavé, après onze heures d'inconscience. Le temps s'écoule à nouveau, dans le sablier de mon corps, en une suite d'instants gracieux. Je ne suis plus de mon pays et de mon ère, c'est tout juste si je suis encore moi : aboli par la chaleur, le déplacement…

Charles enfourche un âne pour grimper le sentier menant à la citadelle La Ferrière, le lendemain. J'en fais autant, suivi par des dizaines d'enfants en guenilles qu'il galvanise en leur lançant des petits cris obscène – *Gwo zozo, ti' zozo !* – avant d'entonner ces chansons de France que les radios diffusent jusqu'au fin fond des mornes. En le voyant les entraîner au bord du gouffre, au passage d'un col, je pense au joueur de flûte d'Hamelin : il aurait pu mener des foules au pouvoir, si ce dernier l'avait intéressé. Mais Charles préfère cent fois vivre, c'est ma chance.

L'éperon du Machu Picchu haïtien crève soudain la couche de nuages. Surgissant d'une nature exubérante, la vision me frappe comme un concentré d'histoire pétrifiée : c'est là que le corps du roi Christophe fut hissé par ses lieutenants avant d'être intégré à la muraille, après qu'il se fut tiré une balle d'or en pleine messe, cerné par une foule refusant le retour de la grande production sucrière – l'acte fondateur de la tragédie haïtienne.

J'exulte, une fois au sommet. La plaine du nord s'étend à nos pieds, la mer miroite au lointain, vierge des envahisseurs que Christophe redoutait. J'achève de me refaire une santé auprès de ce peuple issu de la seule révolte d'esclaves victorieuse de l'Histoire.

Nous attendons longtemps notre avion, à l'aéroport de Maïs Gâté. Il a dû repartir vers Paris peu après le décollage pour ramener le corps d'un passager victime d'une crise cardiaque. J'y vois un bon présage, le destin est déjà passé, je rentrerai vivant.

7. *LE PRÉSENT RETROUVÉ*

Paris ne me semble qu'une gigantesque soustraction, avec ses avenues propres et alignées, sans dos-d'âne ni fatras. Ni végétation luxuriante, ni visage chocolat, ni colibris citron plongeant leur bec-épée dans des corolles carmin, tout juste une odeur persistante de pétrole, de tabac et d'humidité. Aucune couleur, hormis les mille nuances de gris, du ciel aux murs, du zinc des toits à la ferraille des balcons. Partout des faces pâles et des nez pointus ; des traits creusés par la solitude, le froid, la pluie, l'anxiété, l'arrivisme ou la misère ; ce mélange de fatigue psychique et de carence spirituelle propre aux peuples finissants – *Têt la pa' bon*, dirait un Haïtien. Avec leurs voix sèches et leurs démarches crispées, ces Blancs me font l'effet de morts-vivants que même les gueux disposés le long de leur chemin laissent indifférents.

Je retrouve mon pigeonnier désert et mes jardinières gelées. Incapable de reprendre ma vie d'avant, je récure tout ce que j'avais laissé en plan, sans parvenir à me lustrer. L'ultime vertu de Paris, à mes yeux, est de me faire à nouveau aimer mes semblables, dès que je m'en éloigne.

En rangeant mes placards, je tombe sur les carnets où Philippe confessait ses difficultés à vivre, son inaptitude à exprimer ses désirs sans en passer par des flots de paroles : difficile de décrire avec plus de lucidité un mal contre lequel on reste impuissant. Caractéristique de notre fratrie, ce besoin de toucher autrui par des phrases m'évoque une forme de malédiction, telle celle qui changea en statue de sel les habitants de Sodome.

Mais Philippe est parfaitement conscient de cela aussi, pour son malheur. Cette lucidité excessive lui aura même pourri la vie, comme Pierre avant lui. S'évaluer sans répit n'amène que tristesse et désolation, me dis-je, mieux vaut préserver le flou mystérieux de l'existence, lui faire a priori crédit. L'amour va d'abord aux simples et l'allégresse aux confiants. La vie préfère ceux qui adhèrent naïvement à elle, sans vouloir percer ses secrets, et savent comme elle oublier. L'illusion rend infiniment plus heureux que la connaissance, qui s'acharne à démolir tous nos châteaux en Espagne. Le gamin arborant un maillot de l'Inter de Milan, lors de notre montée vers la citadelle La Ferrière, était bien plus fier d'afficher le numéro 10 de Ronaldo que je ne le serai jamais de mes livres : il évolue dans le monde de la procuration magique, je stagne dans une réalité que je suis seul à orchestrer. Dépendre de l'estime silencieuse de milliers d'êtres ne peut que frustrer, mieux vaut tout attendre de la fraîcheur du lait qu'on va boire, ou des carottes qu'on arrose – *ses* carottes! Thomas d'Aquin voyait dans la bêtise un péché insultant le Créateur, mais l'intelligence mériterait autant ce titre à mes yeux. J'en viens à envier l'oncle d'un proche, qui voit encore les Espagnols comme des *Arabes faisant le signe de la croix*. Qu'on doit se sentir confiant, avec de semblables certitudes!

Sans doute leur intelligence aidait-elle mes frères à mesurer la valeur de films comme *La Honte* de Bergman, mais elle les laissait démunis devant ce même sentiment. Elle avait réduit à presque rien leurs chances d'être aimés en les empêchant de formuler des attentes aussi naïves. Elle avait pu les encourager à concevoir des livres, mais pour les écrire, un réalisme modeste aurait été infiniment plus utile. Scrutant les êtres à la façon des chats, sans jamais intervenir, elle les empêchait de prendre toute leur place dans un monde qu'elle jugeait bon pour les chiens. *Il ne va pas tarder à s'effondrer, reste à l'écart, tu vaux bien mieux*, leur soufflait-elle avec son assurance diabolique.

Elle leur avait interdit tout compromis durable avec la société, en leur offrant des moyens d'analyse excédant leurs capacités d'action. Pis, elle avait fini par les convaincre que l'échec était la meilleure façon de préserver leur idéal! Incapable de ne rien produire en soi, elle les avait condamnés à une ironie qui avait tourné à la mélancolie, puis à la paranoïa, avant de les réduire à néant.

Je crains à mon tour que ce tyran ne finisse par sucer tout mon sang. Je ne veux plus de ses espérances grandioses, il a assez fait le malheur autour de nous. J'ai cessé de croire qu'il comprenait mieux la vie que moi, ou que je ne serais rien sans lui. J'estime au contraire que j'irais bien mieux en me fiant à mes seuls instincts. Sans doute est-ce lui qui m'encourage encore à le critiquer, comme il me reproche, en me voyant penser à soumettre les carnets de Philippe à un éditeur, de vouloir enfoncer mon frère littérairement, sous prétexte de l'honorer. Qu'importe, je préfère ignorer les avis de ce faux ami, ivre de sa fausse puissance.

Le sourire des Haïtiennes se débrouillant avec deux dollars par jour pour élever leurs enfants m'a prouvé que les victoires les plus élémentaires sont les plus gratifiantes. On jouit d'une fleur en respirant sa corolle, pas en y pensant ; voir, sentir, entendre, voilà des joies accessibles, le reste n'est que fumée. Si les bêtes ne se suicident jamais, c'est qu'elles vivent sans se demander *pourquoi* ; si les orchidées n'ont besoin que d'un peu d'eau pour fleurir, c'est qu'elles n'ont pas de cerveau.

Le chevalier en quête d'un jeune héraut pour partager sa monture achève de tomber de son destrier. Il ne souhaite plus se distinguer, il n'en a plus les moyens. Las de tomber amoureux d'êtres singuliers, tous plus difficiles à vivre, il décide de baisser la garde et d'abandonner ses a priori, en espérant mieux vivre que ses aînés. Revenu à l'humanité ordinaire et souffrante, il ne demande plus qu'à exister un peu avant de mourir.

Toutes ces bonnes résolutions achoppent, hélas, devant le retour de la grisaille parisienne. Je décroche brutalement en découvrant les commentaires exaltés qu'encourage la venue de l'an 2000. L'évocation de cette ère où rien ne sera plus comme avant m'est particulièrement pénible, tout stagne dans la mienne. J'aimerais pouvoir abolir l'actualité. Je ne suis plus qu'à un pas de la dépression.

Décidé à fuir un pays où il vient de perdre aussi un frère, comme l'agitation artificielle entourant le nouveau millénaire, Charles-l'impulsif me propose de repartir pour Haïti : Maurice n'avait que 50 ans, mais le sida ne lui a laissé aucune chance. Loin de l'abattre, ce deuil suscite chez lui une forme d'exaspération vitale : il danse si tard, la veille de notre départ, que je le trouve profondément endormi et dois le tirer du lit. Il charge une pleine valise de vêtements douteux et de journaux périmés dans le taxi, manque se faire refouler par les services de sécurité de Roissy, exaspère les vieux dragons qui servent d'hôtesses à l'American Airlines, leur amertume haineuse nous arrache des fous rires.

Le temps radieux qui règne à l'aéroport de Miami achève de le doper. Il fait chanter en créole un douanier d'origine haïtienne puis convainc le gérant d'une boutique *free tax* de lui vendre à prix cassé ses lecteurs de cassettes, en arguant du groupe d'acheteurs qu'il est supposé guider à travers la Floride. Un démon intérieur lui prête une autorité irrésistible, il veut tout et l'obtient – un miracle, pour moi qui ne veux plus rien.

Nous prenons la route du Sud, c'est un tout autre Haïti. Marqué au fer par la traite et le règne fatal de Christophe, le Nord est en charge de l'incroyable histoire nationale. Plages vanille et cocotiers aux barbes orange, le Sud est bien plus ouvert aux vents du large. Le passé compte peu, face à la mer caraïbe, tout est neuf sur les plages de Raymond-les-Bains.

Les rues de Jacmel sont propres et silencieuses, avec leurs maisons de western où somnolent les ultimes descendants des planteurs de café et des négociants en vétiver. Minés par les cyclones, la corruption et le sel, les palais métalliques de la rue du Commerce se défont dans des nuages de bougainvilliers. Les artisans dont s'honore la ville travaillent au ralenti, avec pour ultimes clients une poignée d'Américains en quête de peinture naïve et un cinéaste scandinave venu soigner sa dépression. Il fait 25 degrés toute l'année et même la pluie ne mouille pas.

Je ressuscite au contact de l'eau, du sel et de l'iode – le remède qui désenvoûte les zombies. Je fends les flots en usant des courants, dans la baie de Cyvadier, délaisse mon corps fripé en nageant jusqu'au tournis. Je prends le risque de rejoindre Philippe en poussant mon avantage, j'accepte d'avance le verdict des eaux. Le sel aurait-il vidé ses orbites, je préfère le savoir là que dans le caveau grenoblois de notre père, la mer est si vivante !

Pourquoi les colibris ne se posent-ils pas sur les nuages pour traverser sans effort les océans ? C'est la dernière question que je me pose en faisant la planche, à l'aplomb d'un cumulus aux bouillons changeants. Ces ciels immenses ont un pouvoir oxygénant : j'éprouve un prodigieux *bien* de mer en crawlant le long du littoral – je visite en nageant. Mes mains se palment et mes branchies enflent, je délaisse l'espèce humaine pour remonter à l'amphibie dont tous les animaux procèdent.

Allurée et malicieuse, Mme Nerva nous attend au détour d'un entrelacs de parpaings, au cœur du bidonville de Jacmel. Elle embrasse tendrement Charles en nouant un foulard de soie turquoise sur son front, puis nous précède avec des gestes d'un tact souverain dans le couloir menant à son temple – je pense à une marquise créole qui n'aurait pu emporter qu'une robe à volants dans son exil précipité.

Introduit dans le péristyle, où pendent des milliers de drapeaux rouge et vert, je salue un commandeur chauve, lunettes-loupe et costume en nylon, puis ses musiciens, tambours, asson et tyatya. C'est le vieux mari de Mme Nerva, qu'elle traite en riant de *vagabond*, parfois même de *bibelot*, après l'avoir répudié pour « épouser » mystiquement un *lwa*. Son trône en bois sculpté, où l'on vient baiser avec respect ses chevilles, dit l'autorité que lui confèrent ces noces avec Kriminel Sakrifis Danjé, lequel vient l'honorer chaque mercredi soir dans sa chambre à coucher : à la tête de la société Bordé National, l'ex-mari ne fait pas le poids.

Traité en fils par Mme Nerva, qui n'a pu avoir d'enfant, Charles est chez lui dans ce temple. Il salue par leur prénom ses six mambos, d'authentiques santés qui pratiquent un vaudou sans poison. Il les suit jusque dans la pièce où Mme Nerva, 75 ans révolus, leur transmet ses pouvoirs – elle passe pour soigner la folie –, pour leur annoncer que plusieurs salles parisiennes vont projeter le film qu'il a réalisé sur leur société, exclusivement féminine. Je souris en le voyant redresser la croix noire de l'autel dédié à Kriminel Sakrifis Danjé, il est encore plus soucieux des rites qu'elles – un cardinal Ratzinger du vaudou, la fantaisie en plus.

Des invocations s'élèvent à la tombée du jour. Kokott' relève ses jupons sur des mollets de lutteur pour faire grouiller son formidable fessier ; Suze siffle des rasades de tafia puis les recrache en l'air et au sol afin d'apaiser les mânes des défunts, avant de croiser les bras en tous sens. Des quatre coins du péristyle s'élèvent des conjurations que je reprends du bout des lèvres, sans me sentir un instant voyeur ou intrus, Jacmel a l'habitude des étrangers.

Les oreilles percées d'immenses créoles, un grand échalas s'approche de moi en dansant pieds nus. Colin est la plus allurée des mambos, la plus fidèle au type altier qu'encourageaient les gravures de l'Ancien Régime. Elle tourne les hanches sans rien perdre de sa superbe, elle aurait pu paraître à la cour du roi Christophe avec son calicot.

Elle me défie d'un geste d'accompagner son *baissé-bas*. Suivi par une centaine d'yeux laiteux, j'épouse les cercles que trace son bassin, tirebouchonne au commandement de son regard fiévreux, plie les genoux à angle droit. Je manque tomber en atteignant le sol, me sauve in extremis en remuant comme un coq, m'initie au *dansézépol* jusqu'à faire craquer mes omoplates. En s'enflammant au sol, le rhum me révèle une forêt de visages torréfiés. Mon teint pâle détonne, au milieu de la forêt noire qui me scrute.

Difficile de se repérer parmi ces traits café, chocolat, caramel : saturées de mélanine, les peaux mates n'engendrent aucun contraste.

Kokott' se rapproche pour venir me postillonner son tafia au visage. Je reste impassible, jusqu'à paraître nier l'autorité de cette authentique panthère humaine. Mais l'armée luisante me défie de la rejoindre, ou de perdre la face. Je me rapproche d'elle en ondulant. Cuisses nues sous sa cotonnade, elle se colle à moi pour m'engager dans un nouveau *baissébas* dont les cercles obscènes sont à deux doigts de me faire mordre la poussière – elle est bien plus puissante que Colin.

Les tambours accélèrent la cadence. Le péristyle tangue sous l'effet de l'alcool, je manque défaillir, me reprends au bord du gouffre. Des regards sarcastiques accompagnent mon retour à la verticale, que je fais durer jusqu'à l'épuisement. Je finis par susciter de petits sifflets respectueux : les Blancs capables de frotter le sol de leurs fesses sans chuter ne sont pas légion. C'est bon de déclencher ces petits rires paysans que les pays-qui-vont-bien ignorent.

Un des initiés bondit hors du cercle pour s'entortiller autour du *potomitan*. Je le vois se hisser avec une aisance fulgurante jusqu'au sommet du péristyle afin d'en épouser la poutre. Serpentant par à-coups, en faisant vibrer sa langue, il progresse par reptations jusqu'à disparaître dans le feuillage à travers lequel je devine les premières étoiles : le *lwa* qui le possède, Damballah, insuffle ses vertus venimeuses à tous ceux qu'il *monte*.

La frappe obsédante des tambours me fait rendre mon eau et mon sel. Je dégorge de sueur dans la moiteur ambiante, élimine mes toxines. Le fumet qui monte des aisselles de Kokott' se mêle à mes propres phéromones pour envahir mes narines, je croirais presque avoir changé de couleur. Stimulée par cette senteur sexuelle enivrante, la sève monte en moi pour irriguer tout mon corps. Chargé d'embruns tièdes, le vent de la mer m'inspire un désir universel. Mélange de peaux, de couleurs et de sexes, climat d'orgie blanche.

Retrouvant à l'aube notre hôtel, je pratique un *Dieu seul me voit*, le rituel autoérotique qui sert de titre au livre que Charles a consacré à son nouveau pays.

Deux de ses amies haïtiennes nous attendent à notre réveil, le lendemain après-midi. Nous les retrouvons dans le club donnant sur la plage de Jacmel pour fêter l'entrée dans le nouveau millénaire. L'orchestre du Yaquimo joue si fort que je n'essaye pas d'engager la conversation, elle ne pourrait qu'être chaotique, je n'ai même pas entendu le prénom de nos invitées ; je me contente de lancer des remarques à l'oreille de Charles, en buvant un cocktail Alexandra, le délice des mulâtres qui tenaient le port, les Boucard et autres Madsen.

Amplifiés par la moiteur ambiante, les sons mixés par les synthétiseurs portent jusqu'aux mornes voisins l'écho étiré des *steelbands*. Des milliers d'étoiles pleuvent d'un ciel d'encre en illuminant l'interminable palmeraie où les Taïnos faisaient leurs feux. Jamais je n'ai eu un pressentiment aussi net de l'infini, jamais l'univers ne m'a paru aussi jeune et vigoureux. Porté par les ressacs de la mer, j'ai à nouveau 30 ans.

En entendant l'orchestre de Sweet Micky entamer *M'pap Bliyew*, l'une des Haïtiennes se lève d'un bond. L'air se liquéfie pour aider sa progression vers la piste, ses hanches se mettent à dessiner d'imperceptibles 8 au rythme du *kompa*. Elle ne danse pas pour être vue, désirée ou enviée, mais pour le pur plaisir d'éprouver sa joie. Un invisible hula hoop tourne autour de sa taille.

Ses boucles d'or, sa bouche ourlée et sa fine anatomie africaine réconcilient si bien les propriétés des deux couleurs que je pense à une *Norvégienne noire*. Lèvres violettes et teint ambré, elle a le sourire éclatant de l'Élue. Des étoiles se rallument dans mes yeux : on ne peut évoluer plus gracieusement sur terre, elle est la danse incarnée.

Je m'approche à pas de loup de la piste pour intégrer le lasso de ses hanches. Je reproduis le tournis de ses ξ jusqu'à épouser ses grouillades ; nos peaux affleurent, nos jambes se mêlent, nous dansons *collé-collé*. Plus je virevolte et plus je me défatigue, je touche à l'extase en accomplissant un nouveau *baissébas* sans fléchir, je pourrais passer ma vie à tourner ainsi.

Il est trois heures du matin de je ne sais quelle année, c'est le présent retrouvé à l'aplomb de la Voix lactée. Je ne suis plus qu'un lacis de muscles trempés tournant sans fin sous les étoiles. J'accède à une région inédite de la Terre, plonge dans l'épaisseur des temps cosmiques, entrevois *l'éternelle cause qui fait mourir et puis renaître l'Univers…*

La musique s'interrompt brusquement. J'esquisse un geste pour retenir la belle Créole, elle s'écarte en m'adressant un petit sourire de fin. La braise du cigarillo qu'elle allume me révèle la mèche gris puce qui lance la foudre dans sa blondeur, la voilà qui s'enfonce dans l'obscurité. Le Blanc qui n'avait pas même daigné lui adresser la parole, au cours du dîner, n'aura donc été que le médium provisoire de sa fusion avec l'univers. Elle n'est plus qu'un point à l'horizon dont j'ignore toujours le prénom.

Je danse encore sous la lune, dans le rêve que je fais, le sable reste chaud sous mes pieds. Porté par les râles obscènes de Sweet Micky, ses *karessem'* et ses *sobodo*, je jette à chaque *beat* les bras en l'air, bondis au moindre coup de trompe de la vaccine électronique, une vraie machine à danser.

Je titube en arrivant sur la plage de Ti' Mouillaj, le lendemain. Requinqué par le Barbancourt que nous sert le correspondant de l'Agence France-Presse, j'entre dans la mer en répondant à ses questions, que je n'écoute qu'à moitié. Une cuvette en osier se profile derrière une dune, lévite dans l'air chaud. La boule crépue qui la porte suit, tout danse sous le soleil de janvier, le plus subtil de l'année.

La Norvégienne noire surgit à son tour d'un fouillis de palmes. Elle danse encore en marchant,

silhouette d'amphore sur le tour d'un potier, la chaleur rend ses ξ irréels. Son maillot galbe ses fesses en
calebasse, le temps s'écoule à nouveau à rebours, je
revois ma marraine arpenter la plage de Miomo, tout
Bastia rêvait d'elle.

Un beau fruit de la nature.

Elle se penche pour embrasser Charles, une goutte
d'eau en guise de boucle d'oreille, puis me salue
distraitement, sans que j'aie l'assurance d'avoir été
reconnu. L'allure est distante et le port souverain, le
démon du *kompa* l'a quitté.

Je peine à croire que notre nuit lui ait laissé si peu
de traces. Elle a dû pourtant danser mille fois au
Yaquimo, et combien d'hommes l'auront rejointe
sur la piste?

Je finis par me jeter à l'eau, nage au large, dérive
au gré des courants. Je reste à cuire dans le soleil et le
sel avant de suivre les pêcheurs qui rentrent du large
dans leur *bois fouillé*, ces troncs d'arbre qu'ils évident
pour prendre la mer.

Leurs filets frétillent de manicous jaunes, de chirurgiens bleus et de perroquets turquoise. À la demande
de la Norvégienne noire, ils extraient de cette pêche
miraculeuse un poisson capitaine qu'ils nous bou-
canent dans un lit de feuilles de banane. En attaquant
sa chair blanche et ferme, Geneviève m'apprend combien les courants sont redoutables dans cette baie : ils
manquèrent emporter son père, son fils et sa fille, âgés
d'à peine 7 et 9 ans, une décennie plus tôt.

La routine meurtrière de la mer…

Elle a vécu quinze ans au Cap-Haïtien, avec son mari et leurs enfants, en tenant une galerie sur le Carénage, aux temps où l'île attirait les visiteurs. Elle est retournée à Port-au-Prince après son divorce, mais y a vu mourir tant des siens qu'elle s'est dégoûtée du pays. Un cousin germain de son père ayant comploté contre Papa Doc avec d'autres officiers, leur famille a été interdite de sortie du territoire alors que tous les mutins étaient fusillés. Son beau-père a été tué pour avoir dénoncé le régime indigne ayant pris la suite des tontons macoutes, l'homélie courageuse de son mari poussa le père Aristide à s'engager. Elle-même a failli perdre la vie en défiant le policier qui la conduisait au commissariat de Pétionville, un pistolet braqué sur sa tempe, pour défaut de permis de conduire, et qui l'avait violemment frappée. Des prostituées étaient venues laver son visage ensanglanté, sa voisine de cellule l'avait sauvée en prévenant son père, à peine libérée.

Je peine pourtant à croire que Geneviève vit depuis en exil à Paris et ne rentre qu'un mois par an dans ce pays qu'elle a fini par maudire, les crimes y étant aussi vite oubliés que commis. C'est l'enfer qu'elle évoque, et je ne veux voir que le paradis. J'ai besoin de l'imaginer pleinement haïtienne pour me fuir, je la veux radicalement différente pour renaître. Je pense déjà à la vie que je pourrais mener ici, sous le petit nom que Kokott' m'a donné en découvrant l'auréole sommant mon crâne : *Gaspiyéshampoo* – le gâcheur de shampooing.

J'ai besoin de rêver.

8. *SAUVÉ DES EAUX*

Je ne sais plus situer l'est et l'ouest, de retour à Paris, les deux axes se reflètent jusqu'à la symétrie au sortir du métro Concorde. Je me retrouve étranger dans ma propre ville, elle est méconnaissable sous le soleil de janvier – beaucoup de Parisiens sont encore en vacances.

Une mer de cumulus m'environne, au cœur de mon premier rêve. Assis dans un *bois fouillé*, j'avance en emportant des barbes de nuage au bout de mes rames, m'enfonce dans ces volutes d'ouate sans rencontrer d'obstacle, la glisse est voluptueuse.

Invité à dîner par Geneviève, dans une rue voisine de la Bastille, je découvre un appartement sans charme, au cœur d'un immeuble résidentiel construit dans les années 70, presque aussi anodin que le F4 où j'ai grandi, à Boulogne. Les meubles viennent de chez Ikea, les armoires en mélaminé des As du placard, l'intérieur est rationnel et froid. Je m'efforce de ne pas réduire Geneviève aux limites d'un appartement qu'elle loue meublé, mais rien n'y fait. Arrachée à son horizon caraïbe, elle ne m'apparaît plus qu'en deux dimensions dans ce décor en prêt-à-meubler.

Tous ses invités ayant droit au même accueil chaleureux, Laennec l'historien, Édouard le peintre et Mario le plasticien, je me retrouve noyé dans le flou de sa bienveillance élargie, retombe dans une sorte d'anonymat poli. Charles a beau être du repas, je ne me reconnais plus parmi ces Haïtiens, j'ai l'impression d'assurer un remplacement.

À la vue des rayonnages vides de livres, les ouvrages scolaires de sa fille exceptés (son fils est rentré en Haïti), j'entrevois une vie restreinte à ses fonctions élémentaires – s'abriter, dormir, manger –, sans profondeur ni volume. Après la fréquentation ininterrompue d'une bohème plus ou moins féconde, un quart de siècle durant, l'existence simple et ordinaire dont j'avais fini par rêver s'impose à moi comme une menace. Tout me paraît trop normal dans ce trois-pièces aseptisé.

La table s'anime quand Geneviève évoque le conte érotique qu'elle lit. Bien qu'entourée d'hommes, elle ne trahit aucune gêne à l'évocation d'une scène assez crue, à l'inverse de tant de nos contemporains qui s'obligent à des transgressions excédant leurs moyens. Je l'imagine sortir d'une ère de demi-sommeil érotique et retrouve de l'envie pour elle.

J'arrive le premier au rendez-vous qu'elle me donne, le surlendemain, dans un café « cubain » du faubourg Saint-Antoine. Le sourire aveuglant qu'elle

m'adresse perce mon brouillard. Défaisant sa redingote bleu roi, elle tire de son sac une chemise en lin
rose et me l'offre pour mon anniversaire. Comment
a-t-elle su cette date que je fuis depuis mon entrée
dans la quarantaine ?

Son regard énigmatique me laisse deviner l'existence d'un complot affectueux ourdi par Charles.

Au plaisir que me fait son cadeau – il me dit qu'elle
apprécie ma « rosité » et m'encourage à l'afficher –
s'ajoute celui que ma joie lui procure. Je la retrouve
au cœur de la grisaille parisienne comme elle était
là-bas, tutti-fruti. Sa redingote de Merveilleuse me
fait penser aux nuits chaudes du Cap-Français et aux
fêtes qui électrisèrent le Directoire ; en m'offrant les
couleurs de son pays, Geneviève me restitue le mien.
Je ne suis plus le Parisien fuyant de l'an 2000, mais
un Français commémorant les temps heureux…

Mon corps de lépreux implore soudain d'être tou-
ché, mais Geneviève ignore ces signes de détresse.
Mes apartés avec Charles l'ont d'emblée éclairée
sur mes goûts, lors de notre rencontre au Yaquimo,
je suis de l'autre bord et c'est bien mieux ainsi.
Heureuse d'avoir enfin un homme pour ami, elle se
livre à moi en toute confiance : mon désintéressement supposé est le garant de son abandon.

Elle vit sans compagnon depuis plus de dix ans,
à une ou deux exceptions près, dont un député qui
l'a vite ennuyée, il ne lui parlait que de sa circons-
cription. La solitude a pu lui peser, mais jamais elle
n'a été tentée de nouer une relation pour cesser

d'être seule : elle ne vit pas dans le désir d'être désirée, encore moins dans le besoin d'être demandée. L'échec de son mariage lui a fait découvrir les joies du célibat et pour rien au monde elle ne renoncerait à son indépendance : la vie est tellement plus belle quand on n'encourt aucun reproche !

Elle a pu sillonner l'Égypte seule, de la mer Rouge au Sinaï, et profiter sans crainte de la Turquie. Décidée à fuir aussi l'an 2000, elle avait même choisi de partir seule pour l'Île-à-Vaches, un confetti sans route ni électricité, dans l'extrême sud d'Haïti, avant de changer d'avis. Libre comme les femmes des années 70, elle semble n'avoir besoin que d'eau et de soleil.

Comment a-t-elle pu résister aux propositions qui n'ont pu manquer de s'accumuler ? *En les ignorant*, me répond-elle avec le calme des femmes qui savent dissuader sans humilier.

Je m'étonne d'une telle liberté, moi qui supporte si mal la solitude. L'autonomie de Geneviève m'en impose, cela reste une revendication plus qu'un fait, souvent. Je suis plus femme qu'elle sous cet angle, plus dépendant aussi.

Des doutes me reviennent, en la voyant s'éloigner vers le génie de la Bastille. Je crains d'être emporté aux antipodes de mes terres et de mes goûts, elle vient d'un monde si éloigné du mien…

Saurais-je changer du jour au lendemain de vie ?

Anne, l'actrice pour qui j'avais fait une exception, dix ans plus tôt, restait un garçon manqué rivalisant avec chaque homme.

Comment voir en vert ce qu'on a si longtemps perçu en rouge...

Incapable de sortir du daltonisme, j'invoque le hasard. Ma volonté ne m'inspirant plus confiance, je m'en remets aux forces occultes qui gouvernent le monde. Le courant me mènera bien quelque part, je ne pourrais me le reprocher. Je joue ma vie aux dés.

C'est déjà bien de pouvoir l'envisager, me murmure la thérapeute que je vois depuis quelque temps.

Ces mots résonnent fort en moi, comme si elle m'avait murmuré : *Quelle chance vous avez de garder le désir de changer!*

Je m'accroche à cette chimère estivale, la seule à m'inspirer encore.

Je prévois des dîners avec ceux de mes amis qui pourraient plaire à Geneviève, imagine des sorties susceptibles de la surprendre, me projette à nouveau dans l'avenir. Une comédie musicale filmée montre le tour de France d'un jeune Beur gay interprété par un acteur qui tenait l'affiche d'un film dont j'avais écrit le scénario avec Anne, dix ans plus tôt? Elle est partante...

Encouragé par l'obscurité de la salle, je glisse ma main sur la sienne. Je ne sais plus ce que je fais, une brume épaisse m'entoure, j'accomplis les gestes d'un autre. Elle retire insensiblement son bras de l'accoudoir.

Comment mes tentatives pourraient-elles aboutir? Geneviève ne leur accorde aucun crédit.

Je perds définitivement pied en apprenant, à l'approche de l'été, qu'elle s'apprête à rentrer dans son pays. Sa fille partant s'établir aux États-Unis, après avoir achevé ses études, elle n'a plus aucune raison de s'éterniser à Paris. La dictature militaire appartient au passé, elle sera dans trois mois de retour à Port-au-Prince, après dix ans d'exil.

Un petit blouson de cuir rose lui serre la taille quand je la retrouve dans une brasserie de l'Opéra – c'est peut-être la dernière fois. Ses jupes de lin noir laissent voir les jambes élancées de la toute première Geneviève, la Capoise qui quitta son mari pour reprendre sa vie de jeune fille à Port-au-Prince.

Je cherche ses seins à travers les mailles de son pull en tricot, devine une aréole violette qui précipite mon désir. Enfin troublée, Geneviève resserre les pans de son blouson, j'en profite pour poser mes lèvres sur les siennes. Les digues sautent, enfin. Sa main se faufile entre les boutons de « notre » chemise, j'agace à petits coups de dents son tétin pour en faire jaillir la sève, l'amie achève de se métamorphoser en amante, la lectrice de romans X en pratiquante.

Un acteur transformiste anime la scène du théâtre Mogador où l'on se retrouve le lendemain, mais son aptitude à changer de panoplie me touche moins que le voisinage de Geneviève. Elle parle de métamorphoses trop rapides pour convaincre, je prie pour qu'elle ne fasse pas le rapprochement : elle est le premier cadeau que le sort me fait depuis deux ans.

En se dissipant, mon brouillard la révèle plus belle encore. Je le lui dis, elle en paraît surprise. On la regarde souvent dans la rue, son type détonne, mais je dois le lui faire remarquer. Elle est peu importunée, dès lors, sinon pour entendre des compliments gracieux venant de garçons en âge d'être ses fils parfois. Personne ne pense à la siffler, même les maçons sur leurs échafaudages : ils la devinent heureuse et lui en savent gré.

Elle s'habille bien, pour ne jamais tenter d'habiller un autre corps que le sien. Elle ne porte ni bijoux ni talons, ne maquille que ses lèvres et laisse ses cils souligner ses yeux verts. Les notes boisées de son parfum – cèdre, santal et cannelle – sont vierges de toute chimie, comme sa chevelure de toute coloration – l'or l'y dispute naturellement à la cendre. Certaines assument un statut d'actrice sur la grande scène du monde : Geneviève se contente d'être Geneviève, sans apprêt.

Quand ses camarades de collège se plaignaient d'être des filles, elle tombait des nues : les femmes ne travaillaient pas encore dans leur société, et leur vie lui semblait bien plus facile. Venus des îles danoises autant que du golfe de Guinée, ses ancêtres l'avaient pourtant dotée d'un type unique la classant dans la catégorie très prisée des *chabines dorées.* L'insistance des regards masculins lui pesait, même dans une terre aussi pudique que l'Haïti d'alors. Elle hésitait parfois à sortir de crainte d'être criblée de flèches : son succès était universel.

Aurais-je été perçu en chasseur que j'aurais été aussitôt neutralisé, m'accorde-t-elle ; venant d'une tout autre culture, j'ai pu entrer par effraction dans son intimité.

À mon tour de célébrer son anniversaire – une date essentielle en Haïti. Alors qu'on se réunit chez Jacinthe, sa meilleure amie, elle s'étonne de voir sortir tant de cadeaux, un seul aurait suffi. Certains enfants gâtés contribuent à ruiner leur vie, faute d'en savoir le vrai prix, rien ne semble dû à Geneviève. Élevée dans un îlot d'aisance cerné par un océan de misère, elle n'a eu de cesse de redistribuer sa chance, de donner ses habits à ses cousines moins favorisées. Elle était encore la première à se réjouir de les voir plaire en les revêtant : les conquêtes d'autrui sont aussi ses victoires.

En juillet nous partons pour l'Andalousie, posons nos bagages à Barbate de Franco, où le dictateur espagnol passait ses vacances, sur l'Atlantique. Mes jeux amoureux intégraient une forme de cruauté avec les hommes, mêlaient la souffrance au plaisir ; je retrouve des formes délaissées de tact avec Geneviève.

Je voyage doublement en l'écoutant me parler de ses trois frères, tous beaux et charmants, de ses enfants presque adultes, de son père, qui laissa des livres sur leur pays et qu'un cancer a emporté dix ans plus tôt. Il lui avait juré qu'il serait toujours là pour elle et elle n'a cherché d'autre consécration depuis : aimée une fois pour toutes.

J'ai cru pouvoir la situer dans l'élite locale, aussi étroite qu'endogame, mais elle n'en a ni les préjugés ni les pesanteurs. Ayant autant d'esclaves que de négriers dans ses ancêtres, elle voit plus large que sa classe.

Elle n'a ni a priori ni programme, je le découvre alors qu'on sillonne les villages blancs de l'Andalousie. Elle ne vit pas pour imposer ses plans, mais pour jouir pleinement de ce lui nous arrive. Enfant, elle s'imaginait en oiseau voguant au gré des courants. Adulte, elle continue de rêver le jour, pas la nuit, curieusement. Son *moi* est aussi gazeux et changeant que les nuages d'Haïti. Elle aime bâtir des châteaux en Espagne, *faire la France*, dit-on là-bas.

Elle accueille mon passé sans réserve, aucune forme de désir ne la choque entre adultes consentants. Henri avait un rapport agressif aux siens, Edoardo aux miens, elle s'avère bien plus libre. Les liens que je garde avec eux ne l'inquiètent pas. Elle devine bien qu'il a pu m'arriver d'être injuste envers son sexe, mais elle ne s'en formalise pas. Une autre aurait exigé une réforme, des certificats de conformité, elle tient à son indépendance et m'en souhaite autant. Elle se réjouit d'apprendre qu'Henri va mieux alors qu'elle ne l'a pas encore rencontré ; Edoardo lui est d'emblée sympathique et elle n'est pas même jalouse d'Anne. Elle se reconnaît si peu d'ennemis qu'elle s'écrie *Pov' diab'!* en apprenant que le candidat contre qui elle a pourtant voté a été écrasé par Aristide, aux présidentielles haïtiennes.

D'autres yeux m'observent avec indulgence, j'échappe enfin à ma cruauté. Je peux montrer mes fragilités, Geneviève n'en profitera pas. Un schéma narratif fondateur est actif en chacun, un logiciel qui convertit d'instinct les événements qu'on vit en drame ou en comédie, nous nous équilibrons sur ce point.

Piqué de m'entendre appeler Ti' Klod, un diminutif créole, je me ravise en comprenant qu'on ne peut donner surnom plus affectueux en Haïti. Je perds mes derniers préjugés en découvrant l'autre versant de la condition humaine. Je tombe amoureux de cette Haïtienne qui semble ignorer ses qualités, après avoir subi l'amour qu'un Italien se vouait.

J'apprends à m'adapter à ses besoins. Des zones de mon être entrent en sommeil, d'autres s'éveillent en désordre. L'ombre des anciennes jouissances parasite parfois les nouvelles, des odeurs et des gestes me reviennent, vingt années ne s'effacent pas ainsi. J'ai pourtant plaisir à contredire les rites masculins, ils commençaient à m'ennuyer. Ma génération n'ayant encouragé que le trajet inverse – c'était aux *normaux* de quitter leur routine –, je me plais à prouver la viabilité de celle-ci. J'apprends à pratiquer une autre langue, comme ces écrivains acculés à l'exil, qui s'en trouvent mutilés et grandis à la fois.

La vie s'écoule à nouveau en moi, fraîche comme un torrent. Un être neuf et dispos pointe sous mes peaux mortes, un Claude n'ayant plus que deux fois 22 ans, Geneviève le renomme *Kokott' darling*.

J'achève de reprendre ma place parmi les vivants en allant visiter mon grand-père dans son village du Bozio, à l'ombre du Monte Piano Maggiore, au cœur de la Corse. À 106 ans passés, il a déjà connu trois siècles et deux millénaires – le second a tout juste sept mois. Il a fait les deux guerres mondiales, comme soldat et comme prisonnier, a souffert les deux fois de la faim. Il a perdu sa fille, à tout juste 50 ans, sa femme après soixante ans de mariage, et le cadet de ses fils à l'asile d'Ajaccio. Six de ses frères et son unique sœur sont morts – il était pourtant l'aîné –, son dernier frère « cadet », à plus de 90 ans, passe sa journée à observer à la jumelle la vie du village.

Un de ses petits-fils s'est suicidé, un autre a disparu dans le golfe de Porto, une mort si cruelle qu'il lui a consacré un poème :

Ô Philippe ô mon rêve !
Mort sublime vie trop brève !

Longtemps éclipsé par son épouse volubile, il est retourné vivre dans l'île après le décès de celle-ci. Devenu le patriarche de leurs deux familles, puis le doyen de la Corse, il fait figure de *babbone* et accueille volontiers les caméras de la télévision locale. Sa vigueur augmente même avec le temps ; sa garde-malade s'étonne d'avoir reçu des propositions explicites, il y a peu.

Mon grand-père se souvient de tout. De son départ déchirant, à l'âge de 9 ans – il était le premier de sa famille à quitter l'île – et de son arrivée en 1913 dans un Paris pluvieux. Des envolées de Sarah Bernhardt au Châtelet, pleurant dans *L'Aiglon* comme un veau, puis de son entrée à l'École polytechnique juste avant son départ pour le front par la gare de l'Est. De ses retours annuels en Corse et des trois curés du village qui convergeaient vers l'église regardant notre maison, chapelet en poche et Colt sous l'aisselle – les querelles se réglaient à la gâchette, entre soutanes aussi.

Clos pour l'été, les volets de la casa Turchini donnent un volume étrange à ses évocations. Ils forment une fantastique caisse de résonnance, à l'instar des parquets de pin brut et des fauteuils Napoléon III – rien n'a changé depuis la construction de la maison en 1893 pour la venue au monde de mon grand-père : on s'y lave encore avec des gants et des brocs et les lits restent si profonds qu'on pourrait y couler. Éternisé par le poids d'un présent immuable, le passé s'y perpétue à l'identique. Les épisodes que mon grand-père évoque semblent plus modernes que ces murs qui conservent, comme un moule, la forme du temps jadis.

J'entends les anarchistes prendre d'assaut le rapide qui l'amène à l'été 1921 à Marseille et hurler *On va te brûler!* en le voyant hésiter à sortir son portefeuille – son camarade Carabelli y laissa la vie. Je *vois* son régiment errer à travers la France durant la

Débâcle de juin 1940, hommes et chevaux tournant en rond faute d'ordres et de chefs. La même précision stendhalienne sert à rendre la mort du frère cadet de mon père, que mon grand-père n'a pourtant connue qu'à travers le récit de ce dernier – il se rappelle même ce qu'on lui raconte.

Il a encore perdu trois centimètres depuis mon dernier séjour. Ses os s'effritent et ses chevilles enflent, mais il jubile d'en être là à son âge, comme s'il avait obtenu la jouissance des années arrachées à sa fille, son fils et ses deux petits-enfants, tous morts précocement. Il me confirme qu'on peut jouir de l'existence après une hécatombe, rester gai et malicieux parmi les ruines.

Il me pose mille questions sur le livre auquel je travaille. Heureux de m'avoir transmis sa curiosité, il se réjouit de voir que je me passionne, à travers Cocteau, pour l'époque où il a grandi. Ayant croisé Paul Valéry durant les quarante ans qu'il vécut à Sète, il se demande quels rapports les deux écrivains entretenaient. Plaisir de voir un homme si âgé s'intéresser à un ouvrage dont il a toutes raisons de penser qu'il ne le lira jamais – il mourra huit mois plus tard.

L'énergie que je mets à ce livre m'étonne aussi. Tout comme je harcelais de questions mon entourage, à l'âge de 20 ans, je ne sais quel manque à être me jette sur les secrets amoureux, littéraires et nerveux de Cocteau. Je déserte ma personne pour me glisser dans la sienne, des mois durant ; je vis dans sa peau et jouis de son étrangeté, sans avoir à en payer le prix.

L'anorexie dont je souffrais encore, six mois plus tôt, tourne à la boulimie. Je ne lis pas Cocteau, je mange de sa moelle, de son cœur et de sa cervelle. Je n'ai qu'à me pencher à mes fenêtres pour voir le portail de l'ancien Bœuf sur le Toit où il passa tant de nuits, dans la rue Boissy-d'Anglas ; j'entrevois de ma chambre les cheminées de l'immeuble où il vivait avec sa mère, rue d'Anjou. J'en viens à regarder le monde à travers ses yeux, je suis chez moi chez lui.

C'est aussi un poison que de s'illustrer à travers un autre, d'être fécond par procuration. Je mets à nouveau mon *moi* en jachère sans être assuré de le retrouver intact. Le cannibalisme confère au mangeur les vertus du mangé, mais l'inverse vaut aussi en littérature : Cocteau me dévore. En cherchant à percer ses secrets, je cours après les miens.

9. *HAUTEVILLE HOUSE*

Je m'apprête à gagner le Midi quand la gardienne de la remise où je travaille m'annonce que New York a été attaquée, le 11 septembre 2001. Convaincu qu'elle exagère, je minimise la nouvelle et rejoins la gare de Lyon. En longeant un magasin de télévisions du boulevard Diderot, je mesure l'ampleur du désastre : les tours jumelles ne cessent de s'y effondrer, en libérant de monstrueux nuages de poussière.

Une nouvelle ère de massacres commence, mais nul n'en imagine encore l'ampleur. Personne ne connaît même le nom d'Oussama Ben Laden, l'auteur de ce chef-d'œuvre criminel. « Nous aimons la mort bien plus que vous n'aimez la vie », dira-t-il bientôt.

J'éprouve une appréhension en rentrant à Paris. Je vis sous les toits d'un immeuble situé à cent mètres à vol d'oiseau de l'ambassade américaine. Un long-courrier voulant rééditer l'exploit new-yorkais choisirait-il l'axe de la Concorde pour atteindre la représentation US, il finirait sa course chez moi.

Chassé de la rue Boissy-d'Anglas, je pars sans regret, après dix ans passés près de la Madeleine, pour m'installer dans l'un des derniers bastions populaires de la capitale avec Geneviève. Comme tant de Parisiens poussés par la spéculation vers l'est, nous élisons le Xe arrondissement, cette New York horizontale où petites mains turques, coiffeuses congolaises, tailleurs kurdes, pelletiers juifs et intérimaires africains viennent chaque jour travailler, quand ils n'y dorment pas à quatre par pièce dans des immeubles insalubres. Les portes Saint-Denis et Saint-Martin, voisines de l'appartement dans lequel nous emménageons, marquaient la fin de ce qui était encore la capitale de nos deux pays sous la Révolution.

Nos fenêtres donnent sur la rue d'Hauteville et sur la cour d'un hôtel particulier ayant appartenu à l'un des fidèles de Bonaparte. Le fantôme d'une autre Geneviève, née aussi en Haïti, hante cette *folie* construite sous Louis XVI où la chambre caraïbe reste couverte d'oiseaux tropicaux : la « jolie laide » y reçut sous le Directoire les Merveilleuses et les Incroyables pressés d'oublier la Guillotine en dansant au « Bal du Rasoir ». Un Corse venait souvent là au bras de Joséphine, la meilleure amie de Geneviève Fortunée Hamelin.

Je suggère aux peintres d'esquisser des colonnes égyptiennes sur les murs du salon puis d'ajouter un soleil jaune au plafond, il nous réchauffera durant l'hiver. À M. Molière, menuisier, je commande une grande table que je peins en bleu et vert, comme les consoles qui vont habiller les murs hauts de quatre mètres. Geneviève y fait entrer les couleurs de son île avec des tableaux de l'école capoise et des meubles peints par les artisans de Jacmel. Je réapprends à bricoler et à coudre, écume le faubourg Saint-Denis en quête de savons au bois de santal, repousse à coups de balai l'inévitable triomphe de la poussière, je ne veux pas finir comme Philippe ou Pierre. L'homosexuel obsédé par l'âge redécouvre les joies du repassage auxquelles une mère lasse – encore un garçon! – l'avait initié. Il rejoint cette vie élémentaire que tant d'hommes ignorent, pour n'avoir pris aucune part à sa conception.

Attirés par l'hospitalité de Geneviève, nos amis affluent : ils aiment son poulet sauce djondjon – le champignon noir de son pays – et ses raviolis à la sauge. Elle s'enquiert de chacun, pose mille questions, pourrait lasser à force, à peine le devine-t-elle qu'elle s'efface. Elle apprécie les gens tels quels, tolère jusqu'à leurs défauts, l'ennui et la mauvaise humeur exceptés. Elle sert aussi naturellement qu'elle se laisse servir, elle ne se sent l'inférieure de personne, la supérieure encore moins.

Ses créolismes relèvent nos dîners : difficile de ne pas rire des coliques *miserere* dues aux fruits de mer avariés que le correspondant de l'Agence France-Presse nous servit sur la page de Kabik. Comme de ce fidèle qui, voyant sa voisine péter en pleine messe tout en agitant sa chaise, lui souffle à l'oreille, dans la cathédrale de Port-au-Prince :

Ça c'est pour le bruit, mais pour l'odeur ?

Sa chaleur a raison des dernières résistances à mon ralliement : je n'aurai pas à prendre d'avocat pour imposer mon nouveau profil, a contrario de Prince, qui cherche alors à reprendre à la Warner ses droits pour renaître sous le nom de Love Symbol – la presse préfère l'affubler de l'acronyme Tafkap (*The artist formerly known as Prince)* ou additionner les ♂ et les ♀.

Je revis les moments fondateurs de ma vie en voyant Jacques, dont j'étais devenu l'amant après le suicide de mon aîné, et Bernard, son compagnon, dont j'étais devenu un peu plus que l'ami, faire si bon accueil à Geneviève.

Jacques n'aime que les natures abondantes, les êtres sans préjugés et les femmes qu'on pourrait filmer. Geneviève a beau distinguer d'instinct les gens faux, comme les acteurs approximatifs au cinéma, jamais elle ne juge ni ne moralise. Elle se contente de s'éloigner quand on la déçoit, elle *marronne*, disait-on des esclaves fuyant les plantations. Jacques n'agit pas autrement.

Bernard la reçoit dans son grand appartement du quartier Saint-Thomas-d'Aquin aux murs tapissés de lin. Il est l'émanation de cette bourgeoisie française qui servit de référence à l'élite haïtienne, deux siècles durant, et de cette capitale qui la faisait rêver, enfant. Son assurance et sa fantaisie valent mieux qu'une fortune, elles résistent à toutes les dévaluations : elles l'aident à vivre sans crainte, comme à ne jamais vérifier le gaz quand il quitte sa maison, elle n'a aucune raison d'exploser. Mieux, elles lui ont permis d'ignorer tout productivisme – trois livres en trente ans ! – et toute culpabilité inutile. Il est si peu restreint qu'il vient de racheter à Abderrahmane, le jeune Marrakchi qui effectue des petits travaux chez lui, un médaillon en bronze qu'il lui avait volé, plutôt que de perdre et l'objet *et* le garçon.

Le regard de Geneviève s'éclaire devant cette vie affranchie de toute contrainte. Nu-propriétaire de son être, Bernard a le don d'attirer ceux qui se sentent le locataire du leur, comme moi, ou doutent de leur titre à l'occuper, comme elle. Voyant combien ses piques l'amusent, il lui pose mille questions sur le roi Christophe et la reine Marie-Louise, dont il se rappelle avoir vu la tombe au *Campo santo* de Pise, avant de décliner la généalogie des Vaudreuil et des Polastron sur cinq générations – sa mémoire est phénoménale.

De cette constellation d'anciens amants et de nouveaux favoris, Geneviève devient progressivement la bonne étoile. Elle achève de devenir parisienne sans cesser d'être haïtienne ; comme tant de ses compatriotes, si fiers d'avoir vaincu leurs bourreaux, elle n'est qu'enthousiasme pour la France.

Après avoir tant souffert des limites affectives masculines, je me trouve soudain restreint. J'ai appris à aimer par besoin de l'être, Geneviève le fait spontanément, sans calcul, comme si la nature avait laissé plus de volume autour de son cœur pour qu'il s'épanche. La joie des autres étant son nectar, je lui confie jusqu'au soin de remettre les cadeaux que je dois faire, ils font bien plus plaisir.

Riches à millions, couverts d'amour et de reconnaissance, nous vivons encore dans la hantise de tout perdre : la caisse de Geneviève reste toujours pleine. Elle ne garde pas même trace des années difficiles qu'elle connut en élevant seule ses enfants en banlieue parisienne, au début de son exil. Certains voudraient voir là une forme d'insouciance créole, mais j'ai rencontré ses compatriotes par centaines, aucun n'a son tempérament.

J'aimais former mes cadets, par l'exemple et l'ironie. Ne trouvant rien à retoucher en Geneviève, je ne m'imagine pas un instant sourire d'elle, elle ne prétend qu'à répandre sa bonne humeur.

Après avoir pâli devant ses bibliothèques dégarnies, j'éprouve presque de l'envie, en la voyant immergée dans ses lectures : je délaisse les miennes dès qu'elles me déçoivent, un écrivain devient vite un rival à mes yeux. Contrarié qu'il veuille faire entrer ma sensibilité dans *son* moule, je corrige au besoin son style et précipite à ma façon son intrigue. Je finis par réécrire des passages entiers de son livre, en viens à traduire dans « ma » langue des auteurs aussi peu traduisibles que Maupassant, Proust ou Duras – je n'ose imaginer ce que mes frères penseraient de tels sacrilèges !

Tout nous oppose, à dire vrai. J'ai appris à tirer du travail l'essentiel de mes gratifications, elle profite du moindre plaisir que l'existence lui offre. Plus aucun geste n'est « naturel » quand on écrit, tous les siens le sont. La reconstitution du moindre repas exige une énorme énergie dans le monde virtuel où j'agis ; elle le prépare en s'en jouant, dans le sien. En me laissant toujours espérer l'extase libératrice, mon sexe m'entretenait dans une illusion de puissance qui engendrait une frustration chronique ; le sien l'encourage à jouir de tout.

J'affronte chaque jour les montagnes russes qui gâchèrent la vie de mes deux frères, mais ni l'exil ni l'âge n'affectent Geneviève. Dénuée de toute agressivité, elle la décourage immanquablement ; on peut la blesser, la plaie ne s'infecte pas. Elle est comme un poisson dans l'eau du temps.

Cherchant à éclairer cette étrange adéquation au monde, Edoardo évoquera une forme spontanée d'existentialisme, mais Geneviève est sans *pourquoi*. L'amour a beau être le meilleur moyen d'explorer une personnalité, je suis moi-même incapable de me l'expliquer. Une grâce d'état l'a fait naître ainsi, elle a eu l'intelligence de ne rien vouloir devenir d'autre, le goût de l'analyse ne la domine pas, Dieu merci.

Je me réveille mélancolique à l'idée de remettre en selle mon être, elle regarde le plateau sur lequel j'ai posé la cafetière, le pot de lait chaud et sa tasse en porcelaine comme si le miracle de la vie tenait dans cette trinité. J'enfile un K-Way en voyant le

129

ciel s'emplir de nuages, le soleil les perce déjà pour elle. Je crains que nos objets respectifs se marient mal entre nos murs, elle contemple la gazinière que Darty vient de nous livrer comme si elle était signée Ron Arad. Je ris des bonds inquiétants que Mick Jagger effectue encore, à 60 ans passés, tel un poulet de batterie jeté sur une plaque électrique, lors d'un concert diffusé par la télévision ; elle s'émerveille de son incroyable vitalité.

Je vois l'argent qui manque, les ans qui passent, ce livre qui n'est que l'ombre du Livre dont je rêve ? Elle se félicite de la taille de nos bibliothèques et de notre proximité avec les cinémas de l'Opéra. Je me vaccine chaque hiver contre la grippe, elle s'étonne de nous voir engloutir autant de médicaments – elle n'est *jamais* malade, même dans ce bouillon de culture qu'est Haïti ; et il n'y eut jamais de cas de folie dans sa famille.

Je suis fait pour survivre, elle, pour vivre.

Le tournebroche qu'elle commande pour le four, sans avoir pris aucune mesure, s'y insère sans effort ; le douanier qui l'interroge à Roissy la laisse filer alors qu'elle n'a aucun titre de séjour : le monde semble s'offrir de mini-vacances en récompensant son insouciance. J'anticipe si bien les drames que j'en viens presque à souhaiter leur venue pour ne plus avoir à les craindre, elle n'accorde au malheur que le respect passager qu'il mérite. Elle m'évoque ces fleuves qui continuent de couler au cœur des forêts en flammes.

En dressant la liste de ses qualités, mon entourage esquisse en creux celles qui me manquent. Il insiste à évoquer ma chance, il semble même se demander ce que j'ai fait pour la mériter, les pessimistes sont légion et les Geneviève l'exception, je le leur accorde. Elle croit en la chance et sa foi opère, au grand étonnement d'une ville foncièrement sceptique. Son aptitude au bonheur désarme, on ne sait plus être si joyeux dans notre pays.

Aurait-elle le sentiment d'avoir accompli sa mission, pour avoir donné deux fois la vie ? Elle évoque plus une sœur qu'une génitrice, pourtant. Elle semble presque échapper à la condition humaine.

Je m'identifiais aux hommes dont je tombais amoureux dans l'espoir d'acquérir leurs qualités, à mes débuts ; il me suffit de bénéficier de celles de Geneviève, je ne prétends plus m'augmenter. J'envie sa façon d'être au monde et salue en elle un être à la fois abondant et premier, le plus énigmatique jamais croisé, mais je reste moi-même. Après avoir connu tant de garçons bizarres, d'êtres cherchant à réinventer l'existence par le verbe ou l'image, je me voue à elle, qui l'aime *telle quelle*. L'Art est produit, comme l'Histoire est faite, par des individus disposant *en excès* de leur singularité, vite tentés de l'infliger à ceux qui en manquent. Mais la beauté de cette terre pourrait bien tenir à ceux qui ne cherchent pas à lui imposer leur personnalité, tout juste à répandre un peu de chaleur en elle, un don plus rare que celui d'écrire, me semble-t-il. Capable d'engendrer des êtres en couleurs, la nature se révèle ici plus inventive que les créateurs.

Je tombe amoureux de notre relation, pour finir. Les termes de femmes ou d'hommes, d'homos ou d'hétéros délaissent insensiblement mon vocabulaire : désirer me semble le bien plus précieux, qu'importe l'objet.

Je continue de jouir des garçons que je déshabille du regard, dans la rue, mais j'ai le pouvoir de maintenir mon désir à température ambiante, comme certains animaux de ralentir leur organisme, à la saison froide. J'aime mon passé, l'avenir m'intrigue plus.

Il me faut pourtant éclaircir une transformation sur laquelle j'aurai eu si peu de prise. J'entreprends donc un livre sur des hommes qui, par nécessité ou par vice, surent se reconfigurer. Cette galerie d'imposteurs, de mythomanes et d'espions doit montrer qu'il est possible d'assumer plus d'une identité dans une vie.

Ces auto-inventeurs se sont bien gardés de dire la vérité, du moins la dose de vérité qu'une vie peut supporter. Je le ferai pour eux. J'ai beau intituler le tout *Qui dit je en nous ?*, je rechigne à aborder mon cas. Je préfère laisser ma nouvelle existence s'écouler sans trop y mêler d'encre, j'ai peur de la troubler..

De tous les transformistes qui peuplent ce livre, le plus déroutant s'avère être Martin Guerre. Ou plutôt, l'homme qui profita de la disparition de ce mari violent, parti se battre en Espagne au temps des guerres de religion, pour se présenter dix ans plus tard sous ce nom, dans le village d'Artigat et à la porte de « sa » femme, laquelle le reconnut bientôt comme son mari, le prit sous son toit et éleva avec lui « leurs » deux enfants, avant de leur donner une petite sœur. Ce Martin-là, qui organisa par avidité la substitution, avait su se montrer bien plus travailleur et prévenant que l'autre, plus *réel* aussi que ce rustre qui avait déserté le domicile conjugal après avoir dilapidé les biens du ménage. Il devint le merveilleux mari et l'excellent père dont l'épouse délaissée rêvait, avant que la justice ne le démasque et ne le pende sous ses yeux.

Le Claude mal aimé des garçons a-t-il agi si différemment en engendrant un double capable d'accueillir une femme ? Il a si bien réussi à s'en faire aimer, quoi qu'il en soit, que cet alias m'apparaît presque aussi crédible que le précédent. J'avais préparé mon « retour » des mois durant, à la manière du faux Martin Guerre : on se dépasse parfois en devenant autre que soi.

Je détricote les fils de ces destins retors et de ces êtres faussés, deux ans durant. J'use de cette aptitude à « lire » dans autrui qui ne me fut longtemps d'aucun secours, l'observateur ne pouvant devenir l'observé. Par chance, je n'ai rien oublié de la panique qui me prit au sortir de l'enfance, quand je dus m'inventer à partir de rien. Fils de mes frères, autant que de mes parents, j'avais quelques raisons de douter de mon intégrité. Mon être reste une œuvre collective, c'est ma première contribution à l'édifice.

10. *LE MIRACLE DE COCHIN*

Je suis rarement malade, rester au lit m'ennuie, la santé seule me semble désirable. Au printemps 2008, alors que je ne souffre de rien, les médecins me parlent d'une intervention susceptible d'enrayer les progrès rapides d'un cancer. Je n'ai guère d'alternative, les risques sont trop élevés ; l'été approche, les hôpitaux se vident, c'est la saison idéale pour opérer.

Je n'ai plus notion de rien à mon réveil à Cochin. Isolé par une brume épaisse, je ne perçois plus que des sons étouffés provenant d'un pays lointain. Une voix nasillarde finit par percer l'énorme épaisseur d'ouate, mais je ne l'ai pas localisée qu'elle se résorbe déjà dans un recoin de mon néant.

Une soif horrible sèche ma gorge et mes tissus. J'implore des yeux l'infirmière qui passe avec un verre qui ne m'est pas destiné, suce avidement le buvard humecté qu'une main finit par insinuer dans ma bouche, mais la soif est déjà de retour, plus taraudante encore, je pourrais boire toute l'eau de la Loire.

Ouvert du nombril au pubis, puis recousu au fil et à l'aiguille, j'ai les tissus à vif. Le moindre geste me déchire le ventre en libérant une urine rouge sang dans la sonde qui court entre mes jambes. Réduit au silence des bêtes, je gis sur ma couche.

Des cathéters, des tubes, des blisters alimentent en eau sucrée, en air et en sang les vieillards qui fixent gueule ouverte le plafond, autour de moi. Qu'une seule de ces artères lâche et leur cœur cède ; que l'électricité saute et les voilà pris par le fleuve des morts.

Je touche au *pays sans chapeau*.

Une violente odeur de désinfectant ranime mon odorat, le deuxième jour. Le goût suit, aussitôt révulsé par les purées froides et les nouilles fétides prises dans le plastique des plateaux-repas. Les heures s'écoulent si lentement que j'ai le temps de compter les motifs du kimono qui me sert de pyjama. Amplifié par l'insignifiance des propos échangés par les malades, la gentillesse des infirmières et la tyrannie sonore des téléviseurs, le vide ambiant me ramène à la routine de la cité résidentielle où mes frères et moi grandîmes, à l'ennui régnant dans ses escaliers empestant la Javel.

Des odeurs et des sons me reviennent par dizaines, les galeries condamnées de ma mémoire s'entrouvrent. Je vois, je sens, j'entends avec la même force que lorsque j'avais 10 ans…

Nous occupons l'un des cent appartements cernés par la rumeur des familles voisines, qui dînent plus ou moins à la même heure en suivant les mêmes programmes télévisés, à chaque étage d'une barre séparant Boulogne du XVI⁰ arrondissement, au 35 de l'avenue Ferdinand-Buisson : un présent figé fait de rites immuables et de courtoisie redondante, qui culmine lors de la messe du dimanche, toujours la même à la virgule près, le sermon excepté. Comme si tout le quartier vivait sous l'emprise d'une invisible machine à normes.

Grand et bronzé, Pierre rentre du tennis-club de l'avenue du Général-Clavery, une raquette en boyaux de chat sous l'aisselle. Il chasse de son petit bureau Philippe, qui couvrait un cahier Clairefontaine de bolides conduits par des pilotes casqués, pour entamer la résolution d'une équation du troisième degré. J'envie leur savoir et leur énergie. Ils règnent dans la majorité des disciplines, semblent capables d'absorber la plupart des livres, font quinze et dix centimètres de plus que moi, je dépasse pourtant d'un mètre Jérôme, 1 an. Ils ne cessent de se fâcher et de se réconcilier au gré de leurs alliances volatiles, à travers l'influence qu'ils exercent sur moi.

Voilà que Philippe introduit son auriculaire dans l'oreille et la branle à toute force comme s'il espérait en faire pleuvoir de l'or – il a le don d'extraire l'argent des poches et des cachettes, celles de nos parents en particulier. Il s'empare de Jérôme, le démaillote en chantonnant une comptine et le chatouille jusqu'à le faire glousser. Je profite à mon tour de cette délicieuse poupée, Pierre se retire en claquant la porte, impossible de travailler dans un tel climat. Le bac approche, un point suffirait pour lui faire manquer les mentions *bien* ou *très bien* – inenvisageable pour lui, que ses professeurs ont présenté dans trois matières au Concours général.

Les glaciers rejettent parfois, piolet en main, le corps intact d'alpinistes morts des décennies plus tôt ; mes aînés me redeviennent aussi exactement présents, dans cette chambrée d'hôpital, qu'ils l'étaient dans notre F4. Ils parlent et respirent comme s'ils continuaient de vivre dans un espace-temps parallèle au nôtre, occulté par je ne sais quelle paroi.

La douleur qui me déchire le ventre n'arrive pas même à endiguer cette houle de souvenirs, les jours suivants : alors que les composants de l'anesthésie gèlent d'habitude la mémoire, le choc de l'opération m'offre un accès quasi illimité à notre passé. Je revois les grandes portes vitrées du hall de l'immeuble auxquelles on se cognait, quand on courait vers le garage en sous-sol, puis, sans aucune proportion d'échelle, la râpe qu'on passait sur les pneus de nos vélos Mercier avant d'y apposer colle et rustines. La Peugeot 403 de notre père reste garée dans le même box, dans une forte odeur d'huile de vidange, et ses mitaines en pécari attendent toujours, dans la boîte à gants, de nous conduire dans la forêt de Satory.

Les détails du quotidien m'apparaissent grossis par des verres-loupe : le tracé des lignes de ma main gauche, avec la réserve d'encre implantée par une plume Sergent-Major à la naissance du petit doigt, m'est plus familier que les contours cartographiques de la France. J'aime passionnément les fils roses et violets de mes scoubidous, l'anis de mes pantalons de velours, les losanges rouges et verts de mes Burlington, des chaussettes héritées de mes aînés, leurs couleurs me confèrent le sentiment de puissance qui empourpre le caméléon, lorsqu'il se dissimule à ses prédateurs en prenant leurs teintes.

Une découverte nous laisse sans voix : un appartement tout semblable au nôtre, mais exclusivement blanc et tout entier taillé dans le névé, au pied d'un escalier creusé dans la Mer de Glace, à Chamonix. Ce sont les mêmes meubles « suédois » qui décorent nos chambres, notre cuisine et notre salle de bains, les mêmes unités de rangement aussi. Seule différence notable, une prodigieuse lumière bleutée émane de ces chaises, de ces lavabos, de ces placards.

Toute cette glace nous aveugle, ce silence nous assourdit. Sculpté par cet étrange génie du froid dont on n'avait jamais soupçonné l'existence, sinon à travers les bonhommes de neige qu'il affuble d'une pipe, d'un balai et d'une écharpe rouge, dans les jardins de la porte de Saint-Cloud, cet habitat fictif nous éblouit. Il existe donc un autre monde, et il est un miracle d'harmonie.

En remontant à la surface, le souvenir de cette éblouissante métamorphose glaciale entraîne celui des scènes de liesse qui nous réunissaient, autour d'un jeu de cartes ou de société, lorsque les parents partaient dîner chez leurs amis et qu'on téléphonait au hasard à des inconnus dont l'annuaire nous révélait le nom. L'avalanche charrie des dizaines d'épisodes oubliés, dénués a priori de toute portée.

Les éléments m'occupent encore tout entier. Le vent, le chat de la concierge, les moineaux picorant nos jardinières, l'odeur envoûtante du lierre ou de la badiane, c'est à nouveau le présent absolu de l'enfance. Ni le passé ni l'avenir n'existent, je revis nos premières saisons au paradis.

L'infirmière m'apporte mon plateau-repas, au troisième jour d'hospitalisation. L'effroyable flan au chocolat réveille la puissante odeur de cacao que le vent portait dans la rue qui me menait à l'école communale, avec la même force que si j'avais eu les moyens matériels de relancer l'usine Van Houten de Boulogne-Billancourt, fermée depuis belle lurette. Regagnant notre huitième étage, je trouve ma mère occupée à lire un roman de Marie Susini, sa compatriote, en écoutant le *Children's Corner* de Satie. Je tente de l'intéresser à mon cas, elle me répond de façon rassurante et vague sans quitter des yeux son livre. J'erre dans le salon comme une âme en peine, pars fouiller le placard du couloir pour en sortir une boîte ronde en carton de marque énigmatique, ARA, frappée d'un perroquet du Brésil au plumage rouge et turquoise qui m'évoque mes inquiétants pouvoirs d'imitation. J'en extraie un ruban où les douze lettres de mon prénom et de mon nom ont été cousues trois cents fois, en rouge sur fond blanc – il est si long qu'il semble pouvoir servir aussi longtemps que ma vie. C'est la première fois que je vois imprimées ces lettres, et dans les mêmes proportions que celles de mes aînés ! Destinées à marquer mes pulls et mes caleçons avant mon départ en colonie de vacances, elles illuminent ma journée…

Je reste si faible que je ne peux toujours pas m'asseoir sur mon lit d'hôpital. J'ai peine à mâcher, souffre encore au moindre choc, faire plus de trois pas avec mon déambulateur relève de l'exploit. Mais j'arrive à faire bon accueil à Geneviève, dont les fruits confits apaisent ma faim, à parler avec Charles et à sourire à Jacques, qui me ravitaille en littérature.

À peine repartent-ils que la trame du temps se déchire en libérant de nouveaux flots de souvenirs.

… Notre appartement s'est vidé, Pierre prépare les concours d'entrée aux grandes écoles dans un petit studio de la rue Michel-Ange, Philippe est devenu pensionnaire en banlieue parisienne, un vrai exil. Les 45 tours des Kinks et les romans de Boris Vian bercent jusqu'à l'écœurement mon ennui, je gagne le balcon donnant sur la tour Eiffel pour examiner le saladier d'eau croupie où sautille le crapaud que j'ai attrapé dans une mare du bois de Satory. Je le prends par le cou et serre le poing, son torse palpite, sa tête visqueuse perce entre mes doigts, ses pustules luisent. Je pourrais l'achever, je préfère le laisser rebondir, je me penche pour le voir tomber dans le vide…

Je tente de me concentrer sur le livre que Jacques m'a offert, le climat onirique de Murakami me gagne, la barque du temps me reprend. Il n'y pas plus personne dans l'appartement familial, ma mère est allée voir ses propres parents, au cinquième étage, elle a du temps depuis le départ de ses deux aînés. Notre père tient d'une main ferme le navire familial, tous respirent la joie de vivre et semblent partis pour vivre une éternité, je reste seul dans ces 90 mètres carrés, avec l'impression de stagner.

Je suis bien embarrassé, quand on m'interroge sur les études que j'aimerais suivre. Je n'ai toujours pas envie d'être moi, je préférerais me glisser dans la peau de mes aînés…

Je revis avec une acuité déroutante ce vaste néant auquel l'étincelle de 68 va mettre le feu. La France s'ennuie, Claudion le chevelu se morfond.

Le dégel prend de l'ampleur, la troisième nuit. Au fleuve libéré par le scalpel des chirurgiens succède le torrent qui m'arracha à mes études, à mes parents, à mon milieu. J'ai 17 ans, l'air du temps me jette aux quatre coins de la capitale, les activistes de l'Est parisien – dont mon futur ami Charles – me connaissent désormais sous le nom d'Arnulf, ce pseudonyme militant me protège contre d'éventuelles curiosités policières. Je respire à pleins poumons l'air légèrement hallucinogène qui émane de la ville depuis ces jours dionysiaques où elle sortit de son lit, en 68. Mes interminables cheveux sentent le tabac froid et les spaghettis bolognaise, je suis si ambigu que je m'entends régulièrement appeler mademoiselle dans les magasins.

Comme tous les bons à rien, je me crois capable de tout…

Le flot d'images gagne jusqu'à mon sommeil, en me donnant l'impression grisante d'avoir inversé la marche du temps. Jamais je n'ai connu une telle euphorie, même durant cette forte fièvre où des poèmes m'étaient venus par dizaines, l'hiver de mes 30 ans. J'ai l'impression de me remettre au monde.

11. *L'AUTRE RÉSURRECTION*

J'exulte, au sortir de l'hôpital, en lisant les notes que j'y ai prises. Je vais pouvoir récréer notre fratrie non dans la mort, comme j'y avais pensé avant de découvrir Haïti, mais dans un livre. Pierre et Philippe méritent une sépulture plus belle que les gourbis qu'ils habitaient de leur vivant, plus accueillante que le marbre de l'hôpital d'où le premier s'est jeté, que la mer qui a englouti le second.

Euphorisé par mon retour à la vie, je remonte le cours de la leur dans l'espoir de comprendre ce qui a cloché. Je libère leurs cadavres du sable dont je les avais recouverts, pour contrer les effets radioactifs de leurs décès.

Le temps connaît trois états, à l'image de l'eau. Il est tantôt gazeux et insaisissable, tantôt figé et étouffant. En se liquéfiant dans les couloirs de Cochin, il vient de me révéler la signification cachée de notre destinée.

Je ressors les photos nous montrant unis, les lettres qu'on s'adressait en vacances, les livres que

Pierre annotait, les textes que Philippe publia. J'interroge les témoins susceptibles de réveiller ma mémoire, le meilleur de ce que nous fûmes y repose – *Le souvenir est le seul paradis dont on ne puisse être expulsé*. Je retrouve leur façon de penser, de vivre, de fuir aussi, qu'ils vagabondent à travers la France ou fassent le tour du monde en stop. Je m'identifie de nouveau à eux, autrement cette fois, pour revivre des vies qu'ils voulaient plus riches en aventures que les mauvais livres sortant sous le label « roman », un genre très dévalué alors : mieux valait une existence inventive que mille Goncourt sans imagination.

Je ressens une authentique délivrance à les remettre en selle, à faire tourner à l'envers la roue du temps. L'ennemi intérieur qui mina leurs destinées trouve enfin un opposant solide – trop tard pour les sauver, non pour les tirer de l'oubli. Rendre leur éclat à des vies brisées me galvanise, j'écris dans un état second.

L'adolescent ayant grandi dans leur sillage resurgit logiquement, à l'ouverture de ces poupées russes, mais je ne sais trop qu'en faire, les premiers temps. J'ai si profondément changé que je peine à appréhender les ressorts d'Arnulf, ce Gavroche qui traversa les années 70 en défilant. Il m'apparaît lui aussi comme un frère mort, rendu « illisible » par les années.

Aussi dolent qu'agressif, idéologiquement, il dort à droite à gauche, s'offre à qui le désire fortement, vit en volant livres et vêtements, ignore toute discipline et toute fidélité. Il fait si peu cas des vieilles valeurs que ses efforts se réduisent souvent à rire du productivisme ambiant, dont les seuls restes suffisent à son entretien.

Je ne suis plus très sûr de l'aimer, pour être franc. Nous nous tenons aux antipodes, quelles horreurs lui-même n'aurait-il pas dites de moi ! Je suis moins son héritier que son survivant, le caméléon a tourné à la salamandre.

Je lis le journal qu'il tenait, à l'âge de 20 ans, fouille ma mémoire pour retrouver ce qu'il ressentait. Je m'incise moralement – une opération qui a sur celle de Cochin l'avantage d'être indolore. Qu'importe les certitudes rétrospectives que le temps m'a prêtées, j'aimerais reconstituer celui qu'il fut, non le juger.

Je finis par le redécouvrir, avec son cynisme et ses naïvetés, sa désinvolture et son arrogance, son mépris pour les artistes de carrière et le conservatisme physique qu'implique l'écriture. Convaincu d'être un sujet en soi – ces lignes en témoignent encore –, il s'imaginerait presque en créateur sans œuvre : l'art est juste ce qui rend la vie plus intéressante que l'art, croit-il. J'achève de le démentir en faisant de lui le sujet d'un livre.

Je le traite réellement comme un autre, ce n'est pas difficile, je suis *réellement* devenu autre. Il aimait gruger l'État et les banques, monter de petites escroqueries aux assurances et au chômage ; je paye désormais mon tribut à la société, suis presque devenu d'une honnêteté stupide. Indépendant de ses intérêts, qu'il connaissait mal, il pouvait donner tout ce qu'il avait pour la bonne cause ; je m'épanouis dans une discipline où l'on n'est vraiment généreux que par excès d'égotisme. Il percevait la société comme un mécanisme allant de soi ; je ne vois plus que la fragilité des individus animant ses rouages. Il n'avait d'intérêt que pour les actions collectives et que mépris pour les faits divers ; je fuis les premières et n'aime plus que ces révélateurs de nos passions cachées.

Nous nous tenons aux antipodes et c'est bien ce qui m'attendrit, sa jeunesse ressemble à celle de l'enfant que je n'ai pas eu.

En quête d'une forme susceptible d'éclairer cet adolescent qui fuit le domicile paternel à la mort de sa mère pour s'établir imprimeur dans un atelier de Ménilmontant, je réinscris cet ancien *moi* dans une génération qui vécut tout de concert. Je pense à un *roman de formation*, déformation serait plus juste, l'époque encourageait les mues ; la vie entière était à réinventer.

De jeunes catholiques élevées à la Muette pouvaient devenir, au sortir d'un stage de vacances, d'authentiques pasionarias agitant les bidonvilles de Nanterre. Des normaliens se retrouvaient à extraire le fer de Lorraine, des chanteuses yé-yé à la voix de poupée se changeaient en furies rouges. Des milliers de jeunes adultes s'arrachaient de leur cocon avec l'ardeur du bombyx pour vrombir, méconnaissables, dans le ciel d'Occident.

Le changement se faisait si vite qu'Arnulf croyait parfois rêver, en découvrant dans les vitrines de la rue de la Chine le reflet de sa salopette d'imprimeur : il était en aube blanche pour sa confirmation cinq ans plus tôt. Il avait l'intuition de jouer alors un rôle, d'être une sorte de singe ayant volé son âme à un ouvrier – mais comment se l'avouer ? « Simple » normalien juif au milieu de centaines d'ouvriers spécialisés musulmans, l'un des dirigeants du groupuscule qu'il venait d'intégrer finira à l'asile pour avoir trop voulu devenir le prolétaire qu'il n'était pas, sur les chaînes de Citroën.

Je suis bien le produit de cette nymphose massive qui poussa tant de mes aînés à s'établir en usine ou à la ferme, à vouloir se convertir à d'autres désirs, d'autres cultures, d'autres religions aussi. Longtemps rejetées, ces années de (dé)formation m'apparaissent soudain comme mes seuls pilotis.

La complaisance les entourant me gênait. Assis sur leur tas d'or symbolique, ses acteurs vieillissants continuaient d'en engranger les dividendes en célébrant à chaque printemps le bien-fondé de leur lutte ; j'étais même tombé au musée de Bologne sur une vidéo montrant Maurice Najman, le frère aîné de mon ami Charles, défilant auprès de Cohn-Bendit en pleine révolte antigaulliste, huit heures par jour, chaque jour de l'année. Recyclées jusqu'au gâtisme par l'industrie, les images et les mélodies d'alors achevaient de perdre toute vertu subversive : les années 70 avaient remplacé la Belle Époque comme le parangon du passé joyeux…

Mais les voilà qui s'écoulent de nouveau en moi, chaudes et violentes, suicidaires parfois. Mes frères d'âge ressuscitent après ceux du sang pour repartir à l'assaut du char du soleil, sans craindre de se brûler les ailes. Des filets magiques me ramènent l'essence mélodique d'un passé charriant tout ce que j'avais refoulé. J'en viens à me sentir bien plus proche de cette époque que des années 90, comme l'Antiquité nous est plus familière que le Moyen Âge. *As-tu déjà rêvé d'un endroit où tu ne te souviens pas d'être allé ?* demande l'ex-hippie joué par Peter Fonda dans *L'Anglais. Quand tu y étais, tu connaissais la langue et savais te débrouiller, mais au réveil, tu ne sais plus rien : c'était ça, ces années-là.* Je tente de redonner poids à ce fantôme, on ne reverra pas ce mélange d'insolence et d'onirisme avant longtemps.

L'accueil que rencontre *Qu'as-tu fait de tes frères ?*, à sa sortie en 2010, prend pour moi un tour poignant. Un camarade d'école de Pierre m'écrit pour me faire le portrait d'un garçon libre, incisif et joyeux, aidant ses amis à faire leurs versions grecques et mémorisant si vite ce qu'il lit que tous lui promettent un avenir brillant : par le plus grand des hasards, le fils de ce camarade est né à Bourg-en-Bresse, l'année même où mon aîné s'y est donné la mort.

Un ami de Philippe me confirme combien cet autre frère se passionnait pour les transfuges recommençant leur vie aux antipodes après avoir organisé leur disparation, à l'image de Lawrence d'Arabie, lequel s'était engagé, après ses victoires décisives contre l'Empire ottoman, comme simple soldat dans le Royal Tank Corps sous le pseudonyme passe-partout de « Shaw ».

J'entrevois la vie que mes aînés auraient pu mener si la maladie et la mer ne les avaient pas emportés. Leur intégrité n'a pas été vaine, leur exigence ne fut pas qu'autodestructrice ; tout de leur existence n'est pas parti en fumée, des lecteurs me l'assurent.

Leurs cadavres cessent de peser sur moi. Je ne regrette pas même l'organe abandonné sur la table d'opération, j'ai signé leur résurrection avec son sang. Ils quittent définitivement leurs abris de clochard pour intégrer des maisons aimant les livres – enfin une sépulture digne de leur amour pour eux. Ils revivent à chaque fois qu'on ouvre le « nôtre », après des décennies d'occultation.

J'ai sans doute tort de croire qu'ils auraient approuvé les pages où je les évoque, l'expérience m'a montré qu'on n'aime pas trop se lire, sous la plume d'autrui. Mais elles les font revivre et aimer, c'est déjà beaucoup à mes yeux. Qui sait même si elles n'auraient pas donné à ma mère un peu de fierté pour le garçon qu'elle tendait à voir en *outsider*, face à leur intelligence insolente…

Me découvrant leur aîné – j'ai vingt ans de plus que Pierre à son suicide et dix de plus que Philippe à sa disparition en Méditerranée –, j'assume enfin mon statut de « patriarche ».

Qu'une partie de ma génération se retrouve dans ce livre me touche, comme de voir ses propres enfants découvrir enfin le monde où l'on avait grandi, en le lisant. Élevés dans une double contrainte : *Gagne ta vie, impose-toi*, mais aussi : *Tes petites transgressions ne seront jamais rien au regard de nos défis*, ils trouvent un réconfort dans ces pages. Las de se heurter, au moment d'entrer dans la société, à ces mêmes aînés qui prirent d'assaut le monde des médias ou de la publicité en faisant valoir leur art du slogan, ils découvrent comment leurs parents se taillèrent les meilleures places en commercialisant leurs idées, dans les années 80.

Une interminable stagnation ayant succédé à notre prospérité, ils regardent avec stupeur ces géniteurs qui eurent assez de marge pour parcourir le monde, avec la garantie de retrouver du travail en rentrant. Leurs vies multiples les rendent légitimement jaloux, leurs dérèglements amoureux leur rappellent les débauches des roués, le peu de place qu'ils leur ont fait leur semble la preuve de notre inhumanité. Insatiable, notre génération fut la première à ne vouloir mettre aucun frein à ses désirs, à refuser d'admettre le caractère fini, borné, aride de l'existence. Plus grande fut leur désillusion.

Nous étions impatients de reprendre à nos parents les titres de propriété de notre existence, ils sont condamnés à les leur laisser, beaucoup habitent encore chez eux à 30 ans. Ils arborent barbes ou chignons pour s'imposer : leurs « vieux » ont plus que jamais l'air d'adolescents. On leur pourrit la vie en les aidant.

Enfant des Trente Glorieuses, je suis de ceux qui n'ont jamais cherché à exercer de pouvoir, aimant aussi peu obéir que commander. Je sens pourtant qu'ils n'attendent que la disparition de leurs géniteurs pour prendre la place qui leur revient. Mais où trouveraient-ils la force de « tuer » des tuteurs qui se montrent chaque année plus proches d'eux ? Aussi polis et humbles que nous étions insolents, ils me font mesurer l'oppression que notre passé exerce sur eux.

Ne travaillez jamais! conseillaient les murs de ma jeunesse; le salariat durable est devenu un authentique privilège. L'héritage serait un jour aboli, croyons-nous; ils ne peuvent compter que sur cette richesse parentale. Nous avions assez de marge pour envisager notre destruction; ils en ont si peu qu'ils ne pensent qu'à préserver le peu qu'ils ont, ou à partir pour le Canada, l'Angleterre ou l'Australie.

Finie l'insolence obligée contre la tradition, les idées les plus vigoureuses viennent du bord opposé; allégées de leur poids coercitif, les « bonnes vieilles » valeurs – sacrifice et pureté, vaillance et virilité – retrouvent des fraîcheurs d'aurore. Après avoir été tournée en dérision par ma génération, puis par les tombereaux d'argent nés de la libéralisation, la réalité est revenue se venger : la vie est redevenue âpre et le roman, le seul genre littéraire à faire logiquement rêver.

Le mariage était honni, on l'a obtenu pour tous. *Reproducteur!* était l'insulte suprême, ils cadenassent leurs amours sur les grilles des ponts avant de jeter la clef dans la Seine. On devait pouvoir tout dire de sa sexualité ; il faudra peut-être la cacher à nouveau, pour que tout le mystère de notre naissance revienne au ciel. Les femmes allaient se libérer de toute sujétion aux hommes, à la nature et à Dieu? Des activistes défendent le port du voile et des révolutionnaires, la *religion des opprimés.* Un compost d'intuitions nouvelles nourri par la décomposition de valeurs anciennes, voilà les idées d'aujourd'hui. Le christianisme disparaîtrait bien avant la pop music, assurait John Lennon, le chanteur à lunettes est pourtant mort le premier. Le monde en revient aux guerres de religion, quand ce n'est pas aux Croisades.

La terre a accompli une vraie révolution, dans le sens inverse à nos efforts, me disent les enfants de ma génération. J'écoute avec attendrissement et tristesse leurs confidences désabusées. Ils en deviennent un peu les miens.

12. *LE SELF-MADE-MAN DE LA NORMALITÉ*

Gaie, libre, lucide, ma mère m'a fait en partie à son image. Née en Corse, ayant grandi sur les pourtours de la Méditerranée, elle m'a transmis un peu de son aptitude à se réjouir du soleil. Elle préférait Philippe et admirait plus Pierre, mais en m'apprenant à cuisiner et à recevoir, elle m'a mis bien plus concrètement au monde qu'eux. Je suis à l'aise dans la plupart des milieux, ne me sens l'inférieur de personne : l'orgueil insulaire aime mettre la périphérie au-dessus du centre.

J'ai eu ma période mondaine, c'est inévitable à Paris, mais aucune rencontre ne m'aura rendu aussi fier que l'âne sur lequel elle me fit monter pour mon cinquième anniversaire à Santa-Lucia-di-Mercurio, notre autre village du Bozio. Les souvenirs de l'enfance heureuse qu'elle m'a offerte m'ont permis de survivre aux pires épreuves. J'avais tant aimé la vie quand nous faisions bloc !

Une photo nous montre en maillots de bain sur la plage de Toga : en nous mettant très tôt à l'eau, mes frères et moi, elle a fait de la Méditerranée notre

155

patrie ; si l'on ne s'est jamais sentis seuls en mer, c'est qu'elle nous y a toujours réunis. Là sont nos racines, là sera peut-être notre tombeau.

Mater nostrum.

J'ai réellement commencé à vivre après avoir découvert son corps nu dans le couloir de l'hôpital Lariboisière, à la Noël 1973. En m'arrachant au demi-sommeil de l'adolescence, cette mort m'a fait mesurer le prix de chaque instant. J'existais en suivant ma pente, comme les fleuves, j'étais « voulu ». Voyant que la vie n'était pas la règle, je me suis mis à vouloir chaque instant et ne l'ai regretté que pour elle. On goûte bien mieux l'existence, avec un pied dans *le pays sans chapeau.*

Philippe m'avait autant aimé, en y mêlant une forme taboue de désir. De l'inceste latent qui travailla notre fratrie, l'homosexualité m'avait semblé la perpétuation la moins trompeuse, à l'âge adulte. Quand je n'ai plus mérité l'amour des hommes, je me suis retourné vers cette forme antérieure d'affection qu'incarnait ma mère.

J'ai aimé les premiers puis les ai rejetés ; j'ai fui les femmes avant de m'en rapprocher ; les désirs se sont superposés en moi, en occultant parfois le précédent ; je trouve rarement à qui je ressemble sur ce point. Je connais un authentique bisexuel, mais il l'est tout le temps et simultanément, ce n'est pas mon cas. Un embrayeur me faisant changer de désir selon les terrains, je dépendrais plutôt de l'être dont je suis amoureux pour me fixer. J'entre en phase avec son sexe, jusqu'à la consécration affective. Fidèle à sa personne, je le deviens progressivement aux pratiques érotiques qu'il ou elle suppose : je désire l'être aimé, mais le plaisir qu'il me donne finit par profiter à l'ensemble de son sexe. Qu'il disparaisse et cette polarisation s'en retrouve fragilisée, elle tenait à son irréductible singularité.

En réveillant les mille souvenirs du désir que j'avais remisé au grenier, des années durant, ces mues atténuent l'effet du temps. Le regain d'une ancienne sexualité me fait revivre avec des années de moins, divise parfois en deux mon âge.

Ces cycles m'échappent. À peine crois-je acquérir une vue d'ensemble sur eux qu'une nouvelle boucle s'esquisse. Je n'ai pas même l'illusion de revenir à la précédente, n'ayant pas de position initiale tranchée. Plus qu'un sexe en particulier, je dois aimer la réversibilité. Chaque sexe a ses attentes et son imaginaire, passer de l'un à l'autre, c'est sentir autrement : je marche sur un ruban de Möbius (∞).

Il m'arrive de rêver d'une quatrième dimension d'où ces *loopings* trouveraient leur signification cachée : ils s'entrecroisent sans vraie logique, dans notre monde en 3D. J'ai beau me vivre comme un *self-made-man* de la normalité, je peine à me réduire à cette définition. Certains ne sont pas comme les autres, je ne suis pas exactement comme moi-même. Mais comment avoir le fin mot, dans ce domaine ? *Le mystère commence après les explications.*

Je me revois vivre avec Jacques, puis avec Bernard, fuir Henri et languir après Edoardo. Je réentends l'infirmière en chef de Cochin m'annoncer sur un ton extatique, au sortir de mon opération : *Votre petite dame est venue vous voir !* J'ai été plus qu'heureux dans un monde exclusivement masculin, je lui suis tout autant avec Geneviève. Menacé de finir en homosexuel raté, je figurerais presque en hétérosexuel envié : avec son sens légendaire du retournement, le destin s'est plu à m'épanouir dans l'emploi auquel j'aspirais le moins.

J'envie avec le recul ces femmes qui passent avec aisance d'un sexe à l'autre. Un homme se doit d'assumer publiquement ses tendances, le sexe est supposé être son apanage ; une femme s'arrange plus facilement avec les faits, c'est ma politique désormais.

L'émotion m'étreint parfois, quand je revois cette utopie peuplée de garçons dans laquelle j'ai grandi. J'ai plus aimé les hommes, l'admiration, la peur et le rire se mêlaient à mon désir, une part de moi les attend toujours. Mais les femmes m'ont semblé plus faciles à aimer. L'amour est leur première langue, ils ne l'apprennent qu'en second.

Né dans un temps valorisant tous les désirs, je m'étais reconnu dans les héros insatiables des *Mille et une nuits* de Pasolini et du *Satyricon* de Fellini, ces libres enfants allant d'un sexe à l'autre, d'un pays au suivant. J'avais refusé de limiter mes envies, peut-être la rencontre d'un être doté de tous les sexes à la fois m'aurait-elle comblé…

La vie s'est chargée de me ramener sur terre avec sa brutalité coutumière.

L'entité que je forme avec Geneviève paraît parfois aussi solide que certains couples de femmes, mais qu'arriverait-il au cas où elle viendrait à manquer ?

Chi lo sa…

L'eau s'écoule, déborde, flue sans jamais trouver de frein. Elle dévale les cascades en exultant, peut aussi croupir dans une mare. Sans frontière établie, elle s'élève en vapeur, l'été, et forme des poignards glacés au débord des gouttières, l'hiver. Elle n'a pas d'existence propre, rien n'est plus vivant pourtant, elle corrode jusqu'au granit des côtes. J'existe aussi en devenant et me dissous en m'écoulant : *que d'eau dans l'Arno !*

Devant les grosses mies de pain bis qui trempaient dans l'urine de la pissotière où je m'arrêtais sur le chemin du lycée, j'imaginais que certains usagers avaient trouvé un moyen ingénieux de nourrir les oiseaux de la porte de Saint-Cloud. Un camarade m'apprit que ces *mouillettes* alimentaient le désir d'hommes guettant le garçon dont ils n'allaient pas tarder à mâcher l'urine et dont j'allais sentir le regard dans mon dos, à chaque jet. Or ces rites bizarres ont disparu avec les édicules qui les encourageaient, ils ne tenaient qu'au dispositif de ces tasses à six places, à leur odeur transgressive d'ammoniac. Les désirs sont aussi réversibles que les idées, en ai-je conclu.

J'ai adoré parler, téléphoner, polémiquer : je préfère écrire, chanter ou me taire. Je n'écoutais plus aucune musique, le silence m'aidait à écrire, j'en ai de nouveau un besoin vital, elle m'aide à gagner les profondeurs.

Les quelques avatars que je portais ayant trouvé à s'exprimer, mon aptitude à la mue s'estompe, avec le temps. Elle persiste pourtant à l'état réflexe. Je ne peux voir de déménageurs manipuler les petits cercueils de carton renfermant les reliques de ma vie sans vouloir mettre la main à la pâte. Convaincu que leur adéquation à leur tâche leur assure une réelle stabilité psychique, j'en viens à soulever ces caisses trop lourdes pour moi. Je m'improvise « déménageur » pour vivre une condition que je finirais évidemment par rejeter, si elle devait durer. Hérité de l'enfance, ce mimétisme élémentaire reste l'un de mes fondements les plus stables. Il trahit mon aptitude à aller nicher dans d'autres êtres, quand le mien me lasse, ou dans d'autres époques, quand la nôtre m'ennuie.

Affirmer que je me suis réalisé *successivement* serait exagéré. La vie a plutôt révélé des aspects de moi que j'ignorais en en éclipsant d'autres qui me sont devenus étrangers. Le temps m'a remplacé pièce par pièce, comme le pont *Neuf* l'est à nouveau *pour de vrai*, après des travaux complets de restauration ; seul mon patronyme relie encore le nourrisson hilare, l'adolescent ingrat et l'adulte réfléchi qui s'exprime ici. Mais après avoir cru pouvoir être tant de choses, j'ai l'impression d'être enfin quelqu'un.

Cette faculté à devenir a pu m'inquiéter (il n'y a pas que des avantages à être un homme d'eau); j'y vois désormais une chance, on doit s'ennuyer à rester de marbre. Fier d'avoir su tenir ma barre, à voile comme à vapeur, je navigue en écoutant le vent, la traversée reste surprenante.

Après s'être imposée à moi comme l'arme secrète de toute vie, l'assurance des êtres revendiquant leur identité ou leur foi, leur sexualité ou leur culture m'intrigue. Ayant été aussi l'un de ces imposteurs convaincus de leur essence, du temps où j'aimais exclusivement les hommes, je sais bien comme il est possible de tirer d'une nature équivoque un personnage intimidant, le savoir ou l'idéologie aidant. Mais les militants les plus zélés sont parfois les plus fragiles, *un homme de parti n'est que la partie d'un homme.*

Les Allemands n'eurent ainsi pas trop de mal à retourner certains des « musiciens » de l'Orchestre rouge, ces espions travaillant pour l'Union soviétique qu'ils avaient arrêtés en nombre, durant l'Occupation : ces agents étaient des idéalistes, non des professionnels du renseignement. S'en voulant mortellement d'avoir lâché un premier nom pour abréger leurs tortures, ils se punissaient en en livrant un second. Ils se mettaient moins au service des nazis que de leurs propres désirs de survie ou de pénitence, lesquels entraient en collision avec leur idéologie, cette façon si impersonnelle d'exister. *À votre place, j'agirais de telle ou telle manière, je les connais bien*, finissaient-ils par souffler à leurs geôliers…

Qu'importe s'il m'est arrivé de me contredire dans le temps. *Je me comprends*, comme ces mêmes « musiciens » lorsque, se ressaisissant, ils usaient dans leurs échanges téléphoniques avec Moscou d'un langage inversé, pour se jouer de leurs nouveaux maîtres – *Je pars de Paris et serai de retour lundi* signifiant : *Je reste dans la capitale tout ce week-end.* L'acteur existentiel que je suis a toujours veillé à jouer juste, c'est là qu'il espère avoir trouvé sa légitimité, à défaut d'unité – *l'agent ne doit pas figurer, il doit être*, précisait Trepper, le chef de l'Orchestre rouge.

Nous sommes l'interprète indéniable de notre destinée, mais on en est rarement son auteur, tout juste son « nègre », c'est le sel déroutant de notre condition. Théoricien du renseignement soviétique, le général Orlov comparait un chef de réseau à un romancier choisissant ses personnages dans la vie, les rebaptisant puis les faisant agir à son gré : un « auteur » semble avoir de même suggéré les grandes lignes de notre destin, mais lequel ?

Il faut s'étudier pour le deviner.

13. *L'AUTEUR DE MA VIE*

J'ai 17 ans, 18 tout au plus. Je traverse Boulogne au pas de charge pour rejoindre à temps les studios de cinéma de Billancourt, ils recrutent par centaines de simples silhouettes, j'ai besoin d'argent. Des figurants professionnels font la queue devant ces bâtiments aux toits ciselés comme des ateliers d'usine. Certains ont passé la soixantaine, mais ils semblent continuer d'espérer qu'un réalisateur les remarque, les fasse exister pour de vrai. Ils me semblent pathétiques et touchants à la fois, ces « vieillards », moi aussi j'évolue dans la brume en attendant l'aîné qui voudra bien m'offrir un emploi existentiel stable. Je n'aurais pas à trancher entre tous les possibles que je sens en moi, je pourrais continuer à vivre en somnambule. Je pense a contrario à ces acteurs qui mènent assidûment carrière et qui, immanquablement loués saison après saison, cessent un jour de tourner sans qu'aucun critique s'en indigne, semble même s'en apercevoir.

Mieux vaut se tenir à l'écart, attendre que le sort tranche, pensé-je. Prendre délibérément place dans la société, c'est s'offrir aux rayons toxiques de ses jugements, mettre aux enchères ce « tout » qu'on est pour soi-même, avant d'entrer dans la réalité. C'est risquer sa dévaluation brutale, tels ces acteurs qui, après s'être acharnés à devenir *quelqu'un*, s'épuisent dans l'entretien désespéré de cet *alien*, pour retarder son retour à l'anonymat, puis s'enfoncent de leur vivant dans une mort sociale irréversible.

J'ai besoin de vivre protégé, comme la plupart. Je ne veux pas qu'on devine mes secrets, ils pourraient se retourner contre moi, *pour vivre heureux vivons caché.*

Cet attentisme me laisse pourtant insatisfait. Je vis de façon réflexe, sans savoir pourquoi. Les jours passent sans rien déposer en moi, tout me glisse entre les doigts. Dissous dans le flux incessant de la vie, je redoute de mourir inconnu, en premier lieu de moi.

Une existence n'acquiert un statut incontestable qu'écrite, j'en ai le soupçon. Produits des consciences les plus acérées, les livres que mes frères et moi lisons sont les seules preuves de la réalité définitive de ceux qui les ont conçus. Ils se sont accomplis en laissant un sillage de mots et d'idées, en donnant forme à ce qu'ils gardaient d'informe. Ce monde à part que chacun recèle, cette île qui reste notre ultime refuge en cas de tempête, l'encre seule peut la révéler ; on s'accomplit en suscitant un récit.

De même qu'il faut lire pour vivre pleinement – je n'aurais pas éprouvé un tel choc en découvrant la citadelle La Ferrière, le Machu Picchu haïtien, si je n'avais déjà *vu* le roi Christophe s'y donner la mort dans *Le Royaume de ce monde*, le roman d'Alejo Carpentier – il faut s'écrire pour se connaître. Là seulement on a l'occasion de découvrir ce qu'on cache, même à ses plus proches, surtout à soi. La littérature commence lorsqu'un accident sensible ose s'imposer comme une « norme » alternative ; il cesse d'être une erreur pour devenir une somme de sensations et d'idées ayant enfin trouvé leur exacte formulation. C'est un métier d'exister, mais il faut vivre une seconde fois pour devenir un bon professionnel.

J'ignorais combien de chapitres je portais en entamant ce cycle, mais plus j'avançais, plus je trouvais. J'en ressors avec l'impression d'avoir bien plus vécu que je ne le croyais. Si l'existence est l'occasion unique de se fabriquer des souvenirs, les mettre noir sur blanc leur confère une ampleur démultipliée.

Élevé parmi quatre frères, je partage le collectivisme spontané des familles nombreuses ; j'ai toujours revêtu des pantalons trop grands et des vestes reprisées. Écrire en mon nom m'aurait longtemps paru réducteur ou trompeur, j'étais spontanément plusieurs. Les moments clefs de mon existence dormaient dans des espaces-temps étanches, enclos dans mes *moi* antérieurs, si divers qu'aucun ne pouvait prétendre détenir ma vérité. En m'insinuant dans la plupart pour les ramener littérairement à la vie, j'ai pu acquérir une vue d'ensemble. À ce nom qui m'impressionnait, sur le ruban que ma mère fit

165

tisser, un destin est enfin attaché. Le somnambule que j'étais avance les yeux ouverts, preuve est faite qu'il existe bien.

Les anciens Égyptiens discutaient des choses de la vie en sortant leurs viscères pour les laver dans l'eau du Nil. Je ne ressors pas de cette purge aussi mince et hâlé qu'eux, mais soulagé d'un poids. Nous sommes faits d'eau et de limon, et l'opportunité nous est parfois offerte de devenir potier. J'ai pu signer la petite sculpture de chair qu'avait portée et nourrie des années durant ma mère – le seul créateur à ne jamais recevoir de prix – puis qu'avaient forgée mes frères, ces coauteurs de ma vie. Mon eau se souvient de chaque rive longée, maintenant qu'elle a refait en sens inverse le trajet. L'argile qu'elle a arrachée aux sols s'est déposée dans ces livres, ils sont devenu ma substance.

Clodion le chevelu et Arnulf, la Claudia et Kokott' darling disposent désormais d'un cadre solide. Ces quasi-étrangers ne marchent plus l'un derrière l'autre dans le temps, mais côte à côte ; ils ne se contredisent plus dans ma mémoire, ils cohabitent pacifiquement dans ces pages ; qu'ils disent *je*, *nous*, *tu* ou *il*, ils se tiennent enfin solidaires.

J'attendais que l'amour m'unifie, au temps d'Edoardo. Jeune, je rêvais même d'une molécule magique susceptible de me faire « prendre » – je l'avais baptisée *l'Incarnaton*. La résurrection de tout ce passé a eu un semblable résultat. Moi qui me suicidais chaque jour, avant de découvrir Haïti !

Je me suis achevé, au bon sens du terme.

Notre père voulait nous faire apprendre par cœur les préceptes moraux de *Tu seras un homme, mon fils*, le poème de Kipling, mais j'ai préféré rester son fils. Je continue donc de vivre en lisant, comme je le faisais dans notre appartement familial, même si ce sont parfois mes livres que je révise. L'écriture ayant fait de moi le principal objet de mes désirs d'amélioration, je me vis comme le père d'un vieil enfant qui grandirait encore, le seul que j'aurai et dont je surveille d'autant plus les devoirs. Je n'ai pas fondé de famille, j'ai recréé la mienne par le verbe, c'est une autre forme de fécondité. Le monde restera ouvert et vivant aussi longtemps que ne seront pas émises toutes les hypothèses sur son devenir, a-t-on dit : j'aurai été l'un des innombrables acteurs de ce dévoilement.

Les deux premiers tomes de ce cycle m'ont brouillé avec quelques amis. L'un refusa que ses enfants découvrent les actes que nous commettions à 15 ans – c'étaient pourtant des trentenaires plus qu'affranchis ! L'autre m'a envoyé ses avocats pour avoir osé nommer le mal dont souffrait sa sœur – le même qui toucha mon frère et mon oncle –, comme si j'avais jeté un opprobre éternel sur sa famille, que j'avais pourtant rebaptisée. Réduire un être à quelques phrases est très injuste, je le leur accorde, chacun mérite un livre. J'aurais moi-même préféré attendre leur mort pour les évoquer avec toutes les nuances requises, mais à trop tarder je risquais de partir le premier.

Que répondre à ceux qui m'ont reproché d'avoir exagéré? La mémoire déforme, je n'ai fait que la suivre, en la précédant parfois. Il faut de l'imagination pour être sincère en art; la vérité ne se découvre pas, elle s'invente, comme les trésors. Mais si les vraies vies font rêver, si l'on attend d'elles le romanesque d'aujourd'hui, c'est bien qu'elles portent leur part de fiction : le mensonge et le rêve irriguent notre imagination. Douter de ce romanesque-là serait agir comme les douanes de l'Europe qui dénient encore tout caractère *artistique* aux œuvres de Dan Flavin, sous prétexte qu'elles se composent de tubes de néon vendus dans le commerce, bien trop lisses pour engendrer une émotion artistique.

Impossible de tricher, en esquissant ces lignes, j'avançais sous le regard d'un être aussi sévère que Dieu, auquel je n'ai jamais cru. Cette conscience littéraire idéale m'encourageait à être le plus vrai possible en me mettant à nu, à aller toujours plus vite aussi, afin qu'on ne puisse s'appesantir sur mes défauts. J'accélérais pour échapper aux flèches, comme le funambule pour fuir l'attrait du vide. Je tremblais en devinant mon lecteur, caché derrière sa glace sans tain.

14. *LE DIEU DES ATHÉES*

Je déménage à nouveau, pour la Noël 2011. Les plafonds penchent et les poutres piquent du nez, mais l'appartement a le charme des cabines de bateau que la mer secoue. Les prix grimpant sans cesse, j'ai perdu un tiers d'espace vital et dû me défaire de la moitié de mes livres, certains me venaient pourtant de Philippe. Je garde la chemise grise qu'il portait le jour de sa mort, elle n'a pas plus vieilli que celle que Geneviève m'offrit pour mon quarante-cinquième anniversaire.

J'entame une nième vie dans ce quartier peuplé de Chinois et d'Africains, c'est mon dix-septième déménagement dans Paris. Je n'ai plus 26, 39 ou 56 ans, j'ai tous les âges dans le désordre, dans la même journée parfois, les ans s'écoulent en moi sans souci de la chronologie. J'ai encore 12 ans quand j'effleure le lobe de mes oreilles ; les poches qui cernent certains matins mes yeux m'en donnent cinq fois plus. Je suis pourtant moins las qu'à l'âge de 18 ans, où je ne trouvais rien qui vaille. Jamais je ne me sens aussi jeune qu'en lisant sur les quais de la Seine, alors que file la vedette menant le ministre des Finances à l'Élysée : la moindre de ses distractions pourrait nous coûter des fortunes, je fais ce que j'aime sans risquer de ruiner personne. Freud disait qu'un homme peut s'estimer heureux quand il sait qu'il n'a pas trahi l'enfant qu'il était : ce dernier aurait été content de découvrir mes livres à la devanture des librairies, je crois.

Je me vieillis de deux ou trois ans depuis la crise qui marqua ma quarantaine, afin d'amortir par anticipation le choc des nouvelles décennies. Vacciné par les nombres, je franchis ces équateurs temporels sans trop d'angoisse. *J'ai traversé la vallée de la mort et je n'ai plus peur*, dit un psaume. Mort plus d'une fois, j'en viendrais presque à me croire increvable.

Mon sens de la propriété reste limité, je peine à m'identifier à un bien. La liquidation de mon compte en banque par un virus informatique ne m'étonnerait guère plus que la disparition, dans un glissement de terrain, des parcelles de maquis héritées de ma mère. Le monde existe, mais il n'est pas réel, cela vaut aussi pour moi.

Je subis encore de brèves crises de dépersonnalisation. Mon édifice se fendille, les petites voix se réveillent, l'ombre de la maladie se profile. Un coup de pied me ramène à la surface, la vie est forte en moi.

Je me revois partir avec Charles pour Jacmel, à l'approche de l'an 2000. Incapable d'initiative, l'homme d'eau que je suis a tout misé sur l'incroyable aptitude de cet homme d'air à rebondir. Je m'en étais déjà entièrement remis, dans la tempête déclenchée par le suicide de mon frère aîné, à celui qui m'avait offert de venir vivre chez lui. Je laisse toujours le sort trancher, dans les pires moments, cela me réussit de me fier à lui…

Ai-je mérité ces deux chances décisives ? Pas plus que ma famille n'a mérité les désastres qui la frappèrent ; le hasard est le Dieu des athées, et il est tout aussi indifférent que l'autre. À peine me voit-il mélancolique qu'il m'inflige les dix plaies d'Égypte ; me sent-il aimé qu'il m'apporte de surcroît le succès et l'argent. M'offrir un bonheur régulier ? Il n'y a jamais pensé, il travaille *grosso modo*. N'a-t-il pas fait cependant d'Haïti une contrée martyre, en déclenchant le tremblement de terre qui fit deux cent cinquante mille morts en 2010 ?

Le musicien qui me fit danser avec Geneviève sur la piste du Yaquimo, à l'aube du nouveau millénaire, a abandonné ses cris obscènes pour des discours huilés. Porté par les électeurs au Palais présidentiel, ou le peu qu'il en restait après le séisme, Sweet Micky préside depuis aux destinées d'Haïti. Plus spectaculaire que la mienne, sa métamorphose pourrait aussi être moins durable, il n'a pas droit à deux mandats successifs.

Geneviève vit à ma place désormais, quand je disparais dans le travail. J'ai longtemps craint que mon fatalisme ne la contamine, l'inverse se produit : de l'affreuse statuette que je reçois en guise de prix, elle refait une sculpture désirable, j'en deviens heureux pour elle. Mon rythme l'oblige souvent à accélérer le pas, dans les rues de la capitale, le hula hoop s'estompe, j'entends déjà ses amies l'accuser en riant de *marcher SS*. Tant d'années passées à Paris n'ont pourtant altéré en rien son humeur.

Il me suffit de l'entendre appeler l'un de ses frères pour me mettre en joie, ses rires qui roulent, ses *Mezami!* et ses *Mondieu papam'* sont contagieux. Cet accident qu'est le bonheur semblerait presque un dû, à ses côtés. Je comprends pourquoi nous sommes nombreux à partir, elle incarne un *oui* à l'existence devenu rare dans notre pays.

Il me reste trente ans à vivre, plus si je parviens à rééditer l'exploit de mon grand-père. J'aimerais pouvoir passer un peu de ce temps au XVIIIe siècle, idéalement, ou dans les années 20, je ne m'y sentirais pas dépaysé. J'y ai déjà séjourné durant les saisons passées à vivre en Chamfort et en Cocteau, durant ma jeunesse aussi, 1975 trahissait la même insolence frondeuse qui porta le Paris de 1765 et celui de 1925.

Impatient de croiser mes champions *pour de vrai*, je remonterais le faubourg Saint-Germain jusqu'à la rue de la Chaise pour surprendre Chamfort chez le marquis de Vaudreuil, et au Bœuf sur le Toit pour entendre Cocteau jouer de la batterie. Je vérifierais si j'ai bien rendu leurs façons de parler et d'agir, ou si je me suis fait un roman de leur vie. Je hante en attendant le Palais-Royal où tout deux vécurent, la galerie de Montpensier qu'ils arpentaient chaque jour. Les cloisons du temps cèdent, je chevauche les siècles sans effort, qu'il est bon d'ignorer ces frontières-là aussi!

J'ai parfois l'impression d'habiter une maison où ceux que j'ai perdus voisinent avec ceux que je fus. Les pièces y ont chacune sa couleur et son style propre, elles s'éteignent et s'allument au gré de mes souvenirs et de mes mues. Dans le salon familial de Bastia, Pierre et Philippe se disputent Jérôme devant le regard attendri de nos parents. Dans cet appartement de la rue de Verneuil, je continue de dormir avec celui qui m'a quitté voici trente ans, et dans cette garçonnière de la Madeleine, je touche enfin celle qui menaçait de repartir à jamais pour son île.

Les cloisons de ces *period rooms* ne sont pas plus étanches que celles de l'immeuble où nous grandîmes, au 35 de l'avenue Ferdinand-Buisson. Les sons et les langues, les époques et les sexes s'y mêlent, les rites et les croyances aussi. Dans les périodes de solitude ou d'échec, cette porosité s'avère menaçante; des araignées montent aux plafonds, la discorde menace la maison du *moi*. Mais ces cellules savent aussi chanter à l'unisson et vivre en harmonie, le temps d'un amour, d'un voyage ou d'un livre.

De simple locataire de mon être, j'en suis devenu le propriétaire à force d'en explorer les étages.

Je ne tremble plus.

Je suis enfin moi.

TABLE

Cet ouvrage a été imprimé
dans les ateliers de
GRAFICA VENETA S.p.A.

Composition réalisée par Belle Page

Grasset s'engage pour
l'environnement en réduisant
l'empreinte carbone de ses livres.
Celle de cet exemplaire est de :
630 g éq. CO_2
Rendez-vous sur
www.grasset-durable.fr

PAPIER À BASE DE
FIBRES CERTIFIÉES

N° d'édition : 19150
Dépôt légal : janvier 2016
Imprimé en Italie